philip yancey

A BÍBLIA QUE JESUS LIA

Pertence a Elson, doação do Irmão Amaro (Alto Cruz - Recife) em 02/08/2001.

25/8/2001

Obras de Philip Yancey
publicadas pela Editora Vida

Maravilhosa graça
O Jesus que eu nunca conheci
Deus sabe que sofremos

Outras obras do autor

Decepcionado com Deus (Mundo Cristão)
Igreja: por que me importar? (Sepal)

Obras em co-autoria

As maravilhas do corpo (Vida Nova)

Dados Internacionais de Catalogação na Publicação (CIP)
(Câmara Brasileira do Livro, SP, Brasil)

Yancey, Philip
A Bíblia que Jesus lia / Philip Yancey ;
tradução Valdemar Kroker. — São Paulo : Editora
Vida, 2000.

Título original: The Bible Jesus read.
ISBN 85-7367-497-0

1. Bíblia. A.T. - Crítica e interpretação
I. Título.

00-2619 CDD-221.6

Índices para catálogo sistemático

1. Bíblia : Antigo Testamento : Interpretação e
crítica 221.6

Philip Yancey

A Bíblia que Jesus lia

Tradução
Valdemar Kroker

Editora Vida
Prazer, Emoção e Conhecimento

Título do original ▪ *The Bible Jesus read*,
edição publicada pela
ZONDERVAN PUBLISHING HOUSE,
(Grand Rapids, Michigan, EUA).

•

Editora Vida

PRAZER, EMOÇÃO E CONHECIMENTO

Rua Júlio de Castilhos, 280,
Belenzinho, São Paulo, SP.
03059-000
Telefax ▪ 0 xx 11 6096-6833
www.editoravida.com.br

Impresso no Brasil / *Printed in Brazil*

•

Categoria ▪ Teologia

Trechos do terceiro capítulo em inglês foram publicados em *Destiny and deliverance*, série de ensaios que interpretam a vida de Moisés, e no filme da Dreamworks *Príncipe do Egito*. Trechos de outros capítulos foram publicados com algumas variações nos periódicos *Christianity Today* e *The Reformed Journal*.

Todas as citações bíblicas foram extraídas da *Edição contemporânea de Almeida* (ECA), ©1990, de Editora Vida, salvo indicação em contrário.

•

Gerência editorial ▪ Reginaldo de Souza
Assistência editorial ▪ Fabiani S. Medeiros

Preparação de texto ▪ Rogério Portella
Revisão de provas ▪ Sérgio Pavarini

Diagramação ▪ GraphBox•Caran

Capa ▪ Douglas Lucas

•

EDITORA FILIADA A

abec SÓCIO ASSOCIAÇÃO BRASILEIRA DE EDITORES CRISTÃOS

CBL Câmara Brasileira do Livro

A Buck Hatch,
o primeiro a abrir-me os
olhos para as maravilhas e os
mistérios do Antigo Testamento.

SUMÁRIO

PREFÁCIO

Sinto necessidade de me desculpar por aquilo que você *não* encontrará neste livro. Apesar de estar escrevendo a respeito do Antigo Testamento — a Bíblia que Jesus lia —, não me sinto autorizado nem inclinado a mergulhar em questões como autoria, data de composição e descobertas da crítica literária e da crítica da forma. Leio a Bíblia como qualquer leitor comum, interagindo com o conteúdo, procurando entender a intenção do autor. Por ganhar a vida como escritor, também dou uma espiada "por trás das cortinas" para especular a razão por que o autor usou determinada ilustração, escolheu uma metáfora incomum ou começou aqui e não ali.

Depois de um capítulo introdutório ao Antigo Testamento, escolhi uma amostra de cada uma de suas grandes seções: história, profetas, poesia e escritos sapienciais. Por que essa escolha? Oswald Chambers disse certa vez que o livro dos Salmos ensina a orar, Jó ensina a sofrer, Cantares ensina a amar, Provérbios ensina a viver e Eclesiastes ensina a aproveitar a vida. Como eu gostaria de ter essa mesma clareza diante da Bíblia! Aliás, fiz a escolha dos livros — Jó, Deuteronômio, Salmos, Eclesiastes, profetas — com base nas minhas dúvidas e lutas, não por acreditar que esses livros me ensinariam os segredos da vida. Encontrei neles companheiros de peregrinação. Neles, descubro a mim mesmo — e por essa razão escrevi de forma pessoal e subjetiva, não analítica.

Começo com Jó porque tenho gastado muito tempo em meus escritos investigando os questionamentos dessa figura bíblica. Muitos estudiosos crêem ser essa a história de registro mais antigo nas

Escrituras; uma narrativa dramática singular, antecedendo até mesmo a Abraão. Jó desnuda seu relacionamento com Deus até os elementos essenciais: um homem solitário, nu, enfrentando seu Deus. Num padrão recorrente no Antigo Testamento, Deus aposta "as fichas" contra si mesmo, mas a favor da liberdade humana; e o simples fato de a Bíblia incluir Jó, com os seus argumentos fortíssimos contra a injustiça de Deus, reforça esse padrão.

Escolhi Deuteronômio porque gosto de seu tom de realismo melancólico. Enquanto todo o restante dos israelitas estava ansioso por entrar na Terra Prometida, o velho Moisés reserva momentos para refletir sobre as lições difíceis que tinham aprendido e as ainda mais difíceis que logo teriam de enfrentar. O fato de usarmos atualmente o "cruzar o Jordão" como imagem de triunfo espiritual mostra que ainda não compreendemos a mensagem central desse livro extraordinário. Escrevi uma versão diferente desse capítulo para um livro que acompanha o desenho animado *O príncipe do Egito*, que retrata a história de Moisés e do Êxodo. (Em alguns momentos segui a trama deles, que acrescenta alguns detalhes à narrativa bíblica.) Leitores judeus do meu manuscrito ficaram escandalizados. Por que tanto pessimismo, por que esse fatalismo, esse anti-semitismo latente numa obra que celebra o grande milagre do êxodo? À margem de um dos textos mais chocantes, um revisor judeu escreveu: "De onde veio isso?". Ressaltei que cada citação questionada vinha diretamente de Deuteronômio, parte da sagrada *Torá*.

Sempre tive minhas lutas para transpor as incongruências desconcertantes do livro de Salmos, e a melhor maneira que conheço de lidar com algo que me incomoda é escrever sobre o assunto. Nesse processo, o livro de Salmos passou da lista dos "livros menos apreciados" para a lista dos "favoritos". Em seu coral de vozes ouvimos todos os timbres do que possa significar a caminhada com Deus.

Mas como foi que Eclesiastes conseguiu um lugar na Bíblia? Muitas vezes me tenho admirado com isso, sobretudo nos períodos em que me identifico bastante com a visão cética de seu autor "mundano". E, no que tange aos profetas, estou "em convalescença" desde a infância, tentando recuperar-me dos abusos homiléticos contra esses livros tão misteriosos. Escrevo sobre eles porque quero entendê-los.

Com certo pesar, evitarei entrar em discussões sobre muitas das dificuldades e pedras de tropeço que as pessoas encontram no Antigo Testamento. Por exemplo, ele contém cerca de seiscentas passagens de indisfarçada violência, muitas ligadas ao próprio Deus. Como conciliamos isso com o discurso antiviolência apregoado por Jesus, o Filho de Deus? Fico tentado a deixar tudo e tratar dessas questões, mas isso daria outro livro totalmente diferente. Este não é um livro de argumentação ou apologia, mas de autodescoberta. Além disso, muitos autores com qualificações muito acima das minhas trataram desses assuntos com riqueza de detalhes.

Mesmo assim, preciso fazer duas observações. Primeira: considero o Antigo Testamento, acima de tudo, *realista*. Quando assisto a uma peça como *Macbeth* ou *O rei Lear*, ou a um filme como *O poderoso chefão* ou *O resgate do soldado Ryan*, vejo um mundo de maldade, violência e vingança. Sinto-me tocado por essas experiências, porque reconheço nelas o meu mundo, tão violento nos parques de Chicago como nos campos de batalha da Europa e da Ásia. Crianças e adolescentes atiram uns nos outros nas escolas, terroristas explodem aviões e prédios, policiais espancam prisioneiros algemados.

O Antigo Testamento retrata o mundo como ele é, sem maquiagens. Em suas páginas encontramos histórias apaixonadas de amor e de ódio, histórias cruéis e assustadoras de estupro e esquartejamento, narrativas verídicas de tráfico de escravos, relatos francos sobre a grande honra e sobre as cruéis traições da guerra. Nada é bem ajeitado e ordenado. Crianças mimadas como Salomão e Sansão recebem dons sobrenaturais; um homem profundamente bom como Jó recebe catástrofe. Diante desses distúrbios, talvez você recue contrariado, ou então se afaste do Deus que teve alguma participação em cada um desses episódios. A qualidade maravilhosa do Antigo Testamento é que ele também traz as respostas para esses questionamentos! Deus antecipa-se às nossas objeções e as inclui em seus escritos sagrados.

Kathleen Norris trata esse assunto de uma perspectiva muito saudável no livro *Amazing grace* [*Surpreendente graça*].

> Hoje muitas pessoas sentem um vazio na vida expresso por um desejo agudo de "algo mais", um lar espiritual, uma comunidade de fé. Mas, quando tentam ler a Bíblia, acabam jogando-a num canto. Para mim isso é animador, um bom lugar para começar, um sinal de compromisso sério com o Deus revelado nas Escrituras. Outros já acham que é simples descartar a Bíblia à primeira vista, considerando-a negativa, vingativa, violenta. Só espero que essas pessoas rejeitem da mesma forma a "violência como forma de entretenimento" dos cinemas e da televisão, e que façam uma oração cada vez que abrem o jornal ou assistem ao noticiário. Na esfera da vida real, a Bíblia — o que é muito confortador — mostra-se absolutamente fiel à realidade, uma reflexão franca a respeito da humanidade no que tange ao sagrado e ao profano. Não consigo aprender o suficiente dela, mas também preciso confiar no pouco que sei e prosseguir, por fé, buscando encontrar Deus lá.

Em segundo lugar, detecto no Antigo Testamento um movimento paulatino, mas seguro em direção à graça. Os hebreus viviam em tempos selvagens e bárbaros. As suas leis, que nos podem parecer severas, são na verdade bem atenuadas se comparadas às dos vizinhos deles. Eles estabeleceram regras básicas sobre a guerra, introduzindo nas leis o respeito pelos pobres e o cuidado com o meio ambiente. Impuseram limites à violência e construíram cidades de refúgio. Ao olhar para uma época de vingança de sangue, escravidão, poligamia e casamento por contrato com a mulher do irmão (quando falecido), é preciso lembrar que Deus tinha de tratar com as condições morais das pessoas no estágio em que estavam. Nos escritos desse período estava a semente, mas só a semente, da graça divina.

Aos leitores da *Torá* dos dias de Jesus, ele falou das Escrituras "que testificam de mim" e depois acrescentou: "contudo não quereis vir a mim para terdes vida".

João Calvino disse certa vez: "Da mesma maneira que as babás em relação aos bebês, Deus está acostumado a cecear quando fala conosco". E especialmente no Antigo Testamento, Deus "ceceava". Ao usar uma linguagem que pudesse ser entendida, aos poucos conduziu seu povo a um caminho diferente. Posicionou-se a favor dos oprimidos e prometeu um Servo Sofredor que os redimiria, não como perpetrador da violência, mas como vítima dela. Por um período permitiu um comportamento que não aprovava, "por causa da dureza dos [...] corações". Entretanto, embora às vezes em ziguezague, os longos vetores da história estavam apontando firmemente para o seu Filho, Jesus, a revelação final de Deus em forma humana. Em Jesus, Deus já não estava ceceando; a Palavra falou em alto e bom som.

Gostaria de explorar esses assuntos mais a fundo, mas não aqui. Este não é um livro de respostas, mas de perguntas que apresento ao Antigo Testamento, conjunto de escritos tão atordoantes, enfurecedores e estranhamente capazes de nos satisfazer como a própria vida.

Em nossos dias, diz um historiador da igreja, os social-liberais tentaram recuperar os evangelhos, os pentecostais, o livro de Atos e os evangelicais, as epístolas. Talvez nos devêssemos unir num esforço ecumênico para recuperar os livros bíblicos que precederam todos esses. É muito fácil esquecer que a declaração radical da Bíblia sobre inspiração ("Toda Escritura é divinamente inspirada e proveitosa para ensinar, para repreender, para corrigir, para instruir em justiça; a fim de que o homem de Deus seja perfeito e perfeitamente preparado para toda boa obra" – 2Tm 3.16,17) foi escrita a respeito do *Antigo* Testamento, a única Bíblia que esses autores tinham.

Uma advertência: pode ser perigoso envolver-se com a Bíblia. Vamos a ela com uma série de perguntas e, ao nos envolver, descobrimos que essas perguntas se voltam contra nós mesmos. O rei Davi envolveu-se profundamente com uma história do profeta Natã e a certa altura deu um salto de indignação — vindo por fim a descobrir que a história escabrosa era sobre ele mesmo. Vejo repetir-se o mesmo sempre que leio o Antigo Testamento. Sou questionado a respeito daquilo em que realmente creio. Sou obrigado a fazer novo exame. As palavras de Thomas Merton sobre a Bíblia como um todo aplicam-se particularmente ao Antigo Testamento:

> Simplesmente não existe nada de confortável na Bíblia — a não ser que consigamos nos acostumar tanto com ela que a tornemos confortável para nós. [...] Será que cessamos de questionar o livro e de ser questionados por ele? Deixamos de combatê-lo? Aí talvez a nossa leitura já não seja sincera.
>
> Para a maioria das pessoas, a compreensão da Bíblia é, e só pode ser, uma luta: não apenas para encontrar os significados que possam ser verificados nas obras de consulta, mas para aceitar o escândalo e as fortes "contradições" dentro dela mesma.
>
> Não estejamos tão certos de que conhecemos a Bíblia só porque aprendemos a não ficar mais perplexos com ela, só porque aprendemos a não ter mais problemas com ela.
>
> — *Opening the Bible* [*Abrindo a Bíblia*]

Depois de gastar horas explorando o Antigo Testamento, posso dizer com certeza absoluta que estou mais perplexo, não menos.

— PHILIP YANCEY

um

O Antigo Testamento vale o esforço de ser lido?

UM

O Antigo Testamento vale o esforço de ser lido?

Fé não é o apego a um santuário, mas uma peregrinação infindável do coração. Espera audaciosa, cânticos ardentes, planos ousados, um ímpeto inundando o coração, invadindo a mente — tudo isso é o impulso que nos leva [a amar aquele] que toca o nosso coração como um sino.

— Abraham Heschel

Meu irmão, que cursou a faculdade de teologia numa fase de sua vida em que era insuportavelmente arrogante, gostava de chocar grupos de crentes com o seu "versículo predileto". Após ouvir os outros citar expressões espirituais profundas de Provérbios, Romanos ou Efésios, punha-se de pé e, sem nem ao menos transparecer que estivesse brincando, recitava este versículo:

> Em Parbar, ao ocidente, quatro junto ao caminho, e dois junto a Parbar (1Cr 26.18; ACF — SBTB).

Os outros estudantes franziam a testa e tentavam imaginar que entendimento profundo não estavam conseguindo alcançar. Talvez ele estivesse falando em outra língua.

Se meu irmão estivesse de mau humor, citava um versículo alternativo:

> Ó filha de Babilônia [...] feliz aquele que pegar em teus filhos e der com eles nas pedras (Sl 137.8,9).

Na sua insolência ele tinha identificado, com tamanha perspicácia, as duas principais barreiras para a leitura do Antigo Testamento: ele nem sempre faz sentido e, quando faz, agride o ouvido moderno. Por esse e outros motivos, o Antigo Testamento — três quartos de toda a Bíblia — muitas vezes não é lido.

Por conseqüência, o conhecimento do Antigo Testamento está desaparecendo entre os cristãos e quase sumiu da cultura popular. Num quadro cômico, Jay Leno testou o conhecimento bíblico da sua platéia ao pedir que alguém recitasse um dos dez mandamentos. Uma mão subiu e ouviu-se: "Deus ajuda aqueles que se ajudam a si mesmos". Todos riram, mas ninguém conseguiu dizer nada melhor. Pesquisas mostram que 80% dos americanos afirmam crer nos dez mandamentos, mas poucos conseguiram citar, no máximo, quatro deles. A metade de todos os americanos adultos não consegue identificar Gênesis como o primeiro livro da Bíblia. E 14% identificam Joana d'Arc como a mulher de Noé.

Mais surpreendente ainda é que um professor do Wheaton College chamado Gary Burge descobriu que a ignorância a respeito do Antigo Testamento se estende também à igreja. Por vários anos Burge vem testando os estudantes de primeiro ano nessa conceituada faculdade evangélica. Suas pesquisas mostram: alunos que por muitos anos participaram de escola dominical e ouviram incontáveis sermões não conseguem identificar fatos básicos do Antigo Testamento.

A experiência de Barry Taylor, ex-músico de uma banda de rock e atual pastor, faz supor uma razão para isso. Ele me contou o seguinte:

> Na década de setenta, meu melhor amigo se tornou um fanático por Jesus. Pensei que ele tivesse ficado louco, por isso comecei a procurar argumentos na Bíblia para refutar as idéias dele. Eu realmente não conseguia imaginar por que Deus estava preocupado com a asa quebrada de uma pomba ou por que daria ordens de matar, por exemplo, quarenta mil amalequitas. E, além disso, quem eram esses amalequitas? Felizmente continuei lendo, percorrendo todos os livros densos. Quando cheguei ao Novo Testamento, não consegui desviar-me do Senhor. Assim, também me tornei um fanático por Jesus.

Fico feliz que Barry Taylor tenha conseguido chegar até Jesus, mas reconheço que ele formulou algumas perguntas importantes no processo. Por que a Bíblia gasta tanto tempo falando de templos, sacerdotes e regras para sacrifícios que já não existem? Por que Deus se preocupa com o sacrifício de animais defeituosos — cordeiros mancos e pombas com asas quebradas — ou com um cabrito cozido no leite da sua mãe e, por outro lado, parece que não se preocupa com um povo como os amalequitas? O que fazer para que o estranho Antigo Testamento faça sentido, e como ele se aplica à nossa vida hoje? Em suma, o Antigo Testamento vale o esforço necessário para ser estudado e compreendido?

Tenho ouvido missionários em lugares como África e Afeganistão dizer que as pessoas se identificam imediatamente com o Antigo Testamento porque suas histórias de disputas por terra, direito sobre águas, brigas entre tribos e casamentos arranjados se relacionam diretamente com a forma de vida dessas pessoas. Mas esses costumes estão muito longe de pensadores gregos intelectualizados, como o apóstolo Paulo, e muito mais distante ainda dos burgueses de, digamos, Tampa, na Flórida. Quem pega o Antigo Testamento num país desenvolvido e simplesmente começa a ler, talvez fique entediado, confuso ou até indignado com a violência retratada nos livros. Com Jesus, nos identificamos, o apóstolo Paulo, acreditamos compreender, mas o que pensar daqueles povos bárbaros que viviam no Oriente Médio há alguns milhares de anos? O que fazer com eles?

Muitas pessoas resolvem esse dilema do Antigo Testamento evitando-o completamente. Ou, talvez pior, como mineiros, procuram uma pepita de verdade que possa ser extraída e alçada à luz, como um diamante achado num veio de carvão. Mas esse expediente pode sair pela culatra. Não se esqueça dos versículos favoritos de meu irmão.

Só consigo lembrar-me de uma "vantagem" irônica de ignorar o Antigo Testamento. Como Martin Buber, estudioso judeu, escreveu: "O homem de hoje [...] precisa ler as Escrituras como se fossem algo totalmente desconhecido para ele, como se não tivessem sido colocadas prontas diante dele". Buber está vendo esse desejo se tornar realidade: a maioria das pessoas na atualidade *está* lendo o Antigo Testamento como algo totalmente desconhecido!

Por que se incomodar?

Este livro conta como parei de evitar e comecei a ler — e, por fim, passei a amar — o Antigo Testamento. Confesso que iniciei a leitura por motivos não muito nobres: fui pago para fazer isso, como parte de minha tarefa editorial de produzir a *The student Bible* [*A Bíblia do estudante*]. Porém, por muito tempo depois de essa Bíblia ter sido publicada e colocada nas prateleiras das livrarias, voltei várias vezes à leitura do Antigo Testamento por conta própria.

A minha experiência de leitura do Antigo Testamento assemelhou-se à que tive com William Shakespeare. Num momento de idealismo, fiz um voto de ano-novo de que leria todas as 38 peças de Shakespeare no decorrer do ano. Em virtude de viagens, mudança para o outro lado do país e outras interrupções, tive de estender um pouco o prazo. Mas, para minha surpresa, cumprir a tarefa proposta foi muito mais diversão do que trabalho. No início, tive de procurar palavras arcaicas nos dicionários, concentrar-me em diferenciar e lembrar-me das personagens e adaptar-me à simples estranheza de ler peças teatrais. No entanto, ao perseverar e me acostumar ao ritmo e à linguagem, descobri que essas distrações foram desaparecendo, e aí me senti envolvido pela leitura. Sem exceção, esperava alegremente as noites que tinha separado para ler as peças de Shakespeare.

Minha expectativa era aprender sobre o mundo de Shakespeare e as pessoas que nele habitavam. Todavia, descobri que o autor me ensinou mais sobre o *meu* mundo. Ele continua atual como dramaturgo por ter sido um gênio em sondar os recônditos da raça humana, habilidade que o torna conhecido em lugares variados como Estados Unidos, China e Peru vários séculos após sua morte. Encontramo-nos a nós mesmos em suas peças.

Passei exatamente pelo mesmo processo ao ler o Antigo Testamento. Após a resistência inicial, passei para o sentimento de que *deveria* ler os três quartos negligenciados da Bíblia. Ao cruzar algumas barreiras (algo muito semelhante ao que passei enquanto aprendia a ler Shakespeare), passei a sentir uma *necessidade* de ler em virtude daquilo que o texto estava me ensinando. Não demorou, e logo me dei conta de que *queria* ler aqueles 39 livros. Afinal, estavam saciando em mim uma fome que nada tinha satisfeito até então, nem mesmo o Novo Testamento. Estavam ensinando-me sobre a vida com Deus — não como deve ser hipoteticamente — mas como é na realidade.

Preciso dizer que a recompensa advinda da leitura do Antigo Testamento não se obtém de forma fácil. Aprender a se sentir à vontade em suas páginas leva tempo e pressupõe muito esforço. Todas as conquistas — escalar montanhas, tornar-se em virtuose no violão, competir no triatlo — requerem um processo semelhante de trabalho duro. Perseveramos porque cremos que a recompensa virá.

O leitor do Antigo Testamento enfrenta obstáculos que não estão presentes em outros livros. Por exemplo, fiquei desanimado logo no início pelo sua aparente desordem. O Antigo Testamento não pode ser lido como um romance coeso e fluente; contém poesia, história, sermões e contos escritos por vários autores, e depois colocados juntos em uma obra. No seu tempo, é claro, ninguém pensava no Antigo Testamento como um livro completo. Cada livro estava num rolo separado: por exemplo, um livro como Jeremias deveria ocupar um rolo de 10 a 15 metros. Um judeu que entrasse numa sinagoga veria uma pilha de rolos, não um único livro. Sabendo das diferenças, escolheria conforme a necessidade. (E, de fato, em alguns feriados solenes, os judeus só podiam ler Jó, Jeremias e Lamentações para que mantivessem a atitude correta de luto; os outros livros poderiam sugerir prazer e alegria demasiados.)

No entanto, considero impressionante o fato de que essa coleção tão diversa de manuscritos, redigidos num período de mil anos por dezenas de autores, apresente um grau tão elevado de unidade. Para valorizar esse feito, imagine um livro que começou a ser escrito cerca de 500 anos antes de Colombo e só foi concluído recentemente. A impressionante unidade da Bíblia é um sinal forte de que Deus conduziu o seu processo de composição. Usando um grupo variado de autores e de situações culturais diversas, Deus desenvolveu um registro completo do que ele quer que saibamos: é incrível, mas os fatos se encaixam de tal maneira que temos então uma única história.

Quanto mais eu perseverava, mais textos conseguia entender. E, quanto melhor entendia, mais me encontrava naqueles textos. Mesmo numa cultura tão secular como a dos Estados Unidos, livros devocionais e de reflexão sobre os propósitos divinos para a humanidade se tornam *best-sellers,* como *Care of the soul* [*O cuidado com a alma*], de Thomas Moore, e *The cloister walk* [*O caminho do mosteiro*], de Kathleen Norris, refletindo a profunda fome espiritual das pessoas. O Antigo Testamento trata dessa fome como nenhum outro livro. Não dá uma lição de teologia, com conceitos abstratos e ordenados logicamente. Ao contrário, proporciona um curso avançado de "Vida com Deus", demonstrado num estilo a um só tempo pessoal e apaixonado.

Nenhum dos Testamentos é bastante em si mesmo

Cristãos de todo o tipo têm algo em comum: crêem que o Antigo Testamento não basta por si só. Jesus, o Messias, veio para introduzir a "nova aliança", ou o Novo Testamento. Em concordância com o apóstolo Paulo, olhamos para o Antigo Testamento como um período de preparo. Concordo completamente com esse raciocínio. Contudo, estou cada vez mais convencido de que o Novo Testamento também não basta em si mesmo. Por si só, ele também é insuficiente para nos ajudar a entender Deus ou o nosso mundo.

Quando Thomas Cahill escreveu o livro *The gifts of the Jews* [*As dádivas dos judeus*], escolheu como subtítulo a expressão "Como uma tribo de nômades do deserto mudou a maneira de pensar e sentir de todo o mundo". Ele está absolutamente certo. A civilização ocidental está tão solidamente edificada sobre os fundamentos assentados na época do Antigo Testamento, que não teria sentido sem ele. Como Cahill destaca, a crença judaica no monoteísmo nos deu um Grande Todo, um universo unificado que, como produto de um Criador, pode ser manipulado pela ciência. Ironicamente, o nosso mundo tecnológico moderno tem origem naquela tribo de nômades no deserto.

Os judeus também nos deram o que Cahill chama de "consciência do Ocidente". Trata-se da crença de que Deus não se manifesta primordialmente por meio de sinais exteriores, mas por aquela "voz calma e suave" da consciência. Pelo fato de ele ser um Deus de amor e compaixão, preocupa-se com suas criaturas, especialmente os seres humanos que foram criados "à sua imagem", e quer que façamos o mesmo. Toda pessoa sobre a face da terra tem a dignidade inerente aos seres humanos. Ao seguirem esse Deus, os judeus deixaram os parâmetros para os grandes movimentos de libertação da história atual e também para as leis de proteção dos fracos, das minorias e dos oprimidos.

De acordo com Cahill, sem os judeus,

> nunca teríamos conhecido o movimento abolicionista, o movimento de reforma do sistema penitenciário, o movimento pacifista, o movimento dos direitos humanos, os movimentos pelos povos indígenas e destituídos de seus direitos humanos, o movimento antiapartheid na África do Sul, o movimento Solidariedade na Polônia, os movimentos de liberdade de expressão e pró-democráticos em países orientais como Coréia do Sul, Filipinas e mesmo China.

São tantos os conceitos e palavras usados hoje — novo, individual, pessoa, história, liberdade, espírito, justiça, tempo, fé, peregrinação, revolução — originários do Antigo Testamento, que nem conseguimos imaginar o mundo atual e o nosso lugar nele sem nos basearmos na herança judaica. Certa personagem cômica de uma das peças de Molière de repente descobre: "Estou falando em prosa! Estou falando em prosa". Nossas raízes mostram-se tão aprofundadas no Antigo Testamento que em muitos sentidos — direitos humanos, governo, relacionamento com vizinhos, nossa concepção de Deus — já estamos "falando e pensando em Antigo Testamento"!

É absolutamente correta a idéia de que não podemos entender o Novo Testamento sem o Antigo. A prova é simples: tente entender a epístola aos Hebreus, Judas ou Apocalipse sem consultar alusões ou conceitos do Antigo Testamento. É impossível fazer isso (talvez isso explique por que muitos cristãos de hoje também tentam evitar esses livros). É até possível ler os evangelhos como simples livros, mas o leitor não-familiarizado com o Antigo Testamento perderá muitos dos níveis de riqueza que existem neles. Paulo constantemente fazia referências ao Antigo Testamento. Sem exceção, todos os autores do Novo Testamento escreveram sobre a nova obra de Deus na terra ao olharem pelo prisma da obra anterior ou antiga.

Certo filósofo chinês tinha o estranho costume de montar seu jumento de costas para a estrada à frente. Ele agia assim para não se distrair com a visão dos lugares a que estava chegando e para poder, dessa forma, refletir sobre onde tinha estado. Em certo sentido, a Bíblia também funciona assim. As epístolas olham para trás e lançam luz sobre os fatos dos evangelhos, para que os entendamos de forma nova. As epístolas e os evangelhos, juntos, lançam luz sobre o Antigo Testamento.

Durante séculos a frase "como foi predito pelos profetas" foi uma das expressões de maior influência sobre as pessoas que se entregavam à fé cristã. Justino Mártir atribuia sua conversão ao impacto causado pela exatidão com que as profecias do Antigo Testamento se cumpriram. O genial matemático francês Blaise Pascal também citou as profecias cumpridas como um dos fatores mais importantes de sua conversão. Hoje em dia, poucos cristãos lêem os profetas, a não ser para encontrar alguma dica para o futuro, como numa consulta à cartomante. Infelizmente, perdemos a profunda percepção nutrida pelos reformadores acerca da unidade dos dois Testamentos.

Compreender a nossa civilização e entender a Bíblia talvez sejam razões importantes para ler o Antigo Testamento, mas o título deste livro deixa prever a razão mais importante: o Antigo Testamento era a Bíblia que Jesus lia. O Senhor achou no Antigo Testamento cada fato importante sobre si mesmo e sua missão. Citava suas páginas para resolver controvérsias com os oponentes, como os fariseus, saduceus e o próprio Satanás. As figuras — cordeiro de Deus, pastor, sinal de Jonas, a pedra que os construtores rejeitaram — que Jesus usou para definir a si mesmo vinham diretamente das páginas do Antigo Testamento.

Certa vez um governo tentou amputar o Antigo Testamento da Bíblia cristã. Os nazistas da Alemanha proibiram o estudo desse "livro judeu", e o estudo do Antigo Testamento desapareceu dos seminários e revistas teológicas alemãs. Em 1940, no auge do poder nazista, Dietrich Bonhoeffer publicou de forma desafiadora um livro sobre Salmos e foi severamente advertido. Em cartas de apelo, ele argumentou convincentemente que estava somente analisando o livro de orações do próprio Jesus. O Senhor citava repetidamente o Antigo Testamento, como ressalta Bonhoeffer, e nunca outra fonte — ainda que o cânon da Bíblia hebraica não tivesse sido fechado oficialmente em sua época. Além disso, muito do que está no Antigo Testamento aponta explícita ou implicitamente para Jesus.

Quando lemos o Antigo Testamento, estamos lendo a Bíblia que Jesus lia e usava. Trata-se das orações que Jesus fazia, dos poemas que memorizava, dos cânticos que entoava, das histórias de ninar que ouvia quando criança, das profecias sobre as quais refletia. Ele reverenciava cada "jota ou [...] til" da Bíblia hebraica. Quanto mais entendermos o Antigo Testamento, mais entenderemos Jesus. Como disse Martinho Lutero: "O Antigo Testamento é um testamento de Cristo, que pediu fosse aberto após sua morte e lido e proclamado em todos os lugares por intermédio do evangelho".

Num texto marcante do seu evangelho, Lucas conta que Jesus apareceu de surpresa ao lado de dois discípulos no caminho de Emaús. Apesar de os rumores sobre a sua ressurreição estarem espalhando-se como fogo incontrolável, esses dois obviamente ainda não criam nisso, conforme Jesus percebeu ao olhar em seus olhos desanimados. Quase lhes pregando uma peça, Jesus os fez repetir tudo o que tinha acontecido nos últimos dias com o tal Jesus. Então ele os advertiu:

> Ó néscios, e tardios de coração para crer em tudo o que os profetas disseram! Não era necessário que o Cristo padecesse estas coisas e entrasse na sua glória? E começando por Moisés, e por todos os profetas, explicou-lhes o que dele se achava em todas as Escrituras.

Estamos precisando hoje de uma experiência inversa à do caminho de Emaús. Os discípulos conheciam Moisés e os Profetas, mas não conseguiam imaginar em que se relacionavam com Jesus, o Cristo. A igreja de nossos dias conhece Jesus, o Cristo, mas está rapidamente perdendo todo o contato com Moisés e os Profetas.

Em outra situação, Jesus contou a história de dois homens que construíram casas muito parecidas por fora. A diferença entre as duas construções evidenciou-se quando desabou um temporal. Uma das casas não caiu, apesar de descer a chuva, transbordarem os rios e soprarem os ventos, porque estava alicerçada sobre a rocha. A outra casa, construída de forma tola sobre a areia, caiu com grande estrondo. Em teologia, assim como na construção, importa o fundamento.

Responda rápido: Como é Deus?

De acordo com Elaine Storkey, a pergunta "Responda rápido: Como é Deus?" foi feita por uma menina de cinco anos que correu ao encontro do irmão recém-nascido no quarto do hospital. Como achava que ele tinha acabado de chegar do céu, imaginou que detivesse informações privilegiadas. No entanto, o bebê só virou os olhos, soltando um balbucio.

O Antigo Testamento oferece uma resposta à pergunta da menina, diferente da que teríamos se nos baseássemos somente no Novo Testamento. Ainda que Jesus seja a imagem do Deus invisível, esvaziou-se de muitas prerrogativas divinas para se tornar homem. Segundo o já falecido professor Langdon Gilkey, se fosse possível dizer que o cristianismo evangélico tem alguma impropriedade, ela seria justamente o fato de privilegiar o Filho, Jesus, que se relaciona com cada alma e o respectivo destino, em detrimento de Deus, o Pai, Criador, Sustentador, e Rei de toda a história humana.

Se tivéssemos somente os evangelhos, nossa visão de Deus seria de alguém limitado, demasiadamente humano e fraco, pois, afinal de contas, Jesus acabou pendurado numa cruz. Os judeus opuseram-se tão fortemente a Jesus porque, apesar das pretensiosas alegações que fez, não correspondeu ao conceito que tinham acerca de Deus. Rejeitaram-no por ele não estar à altura de Deus. O livro de Apocalipse apresenta uma visão diferente de Jesus — luzes brilhando, glória formidável, poder ilimitado. Da mesma forma, o Antigo Testamento também mostra um retrato diferente de Deus. Assim como os primeiros discípulos de Jesus, nós também precisamos desse cenário para podermos avaliar quanto amor foi necessário para a Encarnação — quanto Deus abdicou a favor de nós.

Sem o Antigo Testamento sempre teremos uma visão empobrecida de Deus. Deus não é um conceito filosófico, mas uma pessoa que age na história: aquele que criou Adão, fez a promessa a Noé, chamou Abraão e se apresentou pelo nome a Moisés, humilhando-se ao habitar numa *tenda* no deserto só para viver perto de seu povo. Desde o primeiro capítulo de Gênesis, Deus sempre quis ser conhecido, e o Antigo Testamento é a melhor revelação a respeito de como Deus é.

John Updike disse que "nossa mente não mais está condicionada para a reverência e a admiração". Essas palavras soam antiquadas e, quanto mais ultrapassadas nos soam, mais nos afastamos da imagem de Deus revelada no Antigo Testamento. Não podemos encaixotá-lo nem evitá-lo com explicações inteligentes. Deus parece um "Outro" incontrolável e misterioso, não um Deus que possamos explicar facilmente. Ninguém pode dizer-lhe o que deve fazer (esse é o ponto principal do discurso impressionante de Deus a Jó).

Admito que o Antigo Testamento introduz alguns problemas que eu preferiria evitar. Por todo este livro vou lutar com a revelação de Deus que encontro lá. "Considera, pois, a bondade e a severidade de Deus", escreveu o apóstolo Paulo aos cristãos em Roma. Eu já preferiria considerar apenas a bondade de Deus, mas com isso estaria construindo eu mesmo uma imagem de Deus em vez de confiar em sua auto-revelação. Não ouso falar de Deus sem ouvir o que ele está dizendo de si mesmo.

O quadro que pintamos de Deus faz uma enorme diferença. Será que ele é um relojoeiro alienado e distante que dá corda ao universo e depois se afasta para observá-lo reduzir o ritmo sozinho até parar? Ou será que Deus é um pai amoroso que não só mantém o universo todo nas mãos, mas também cuida de cada homem e de cada mulher que vive na terra? Não consigo imaginar projeto mais importante do que recuperar o entendimento correto a respeito de Deus.

Inevitavelmente transferimos a Deus sentimentos e reações que provêm de nossos pais humanos. George Bernard Shaw teve dificuldades com Deus porque seu pai tinha sido um vagabundo, um pai ausente que vivia em bares e só se importava com jogos de azar. Da mesma forma, C. S. Lewis lutou para superar a marca deixada pelo pai, homem durão que chegava a citar Cícero quando xingava os filhos. Quando a mãe faleceu, foi como se ele tivesse sido abandonado numa pequena ilha. Após ter estudado numa escola pública conduzida por um diretor cruel, que depois foi atestado como demente e internado numa clínica de tratamento, Lewis teve de superar o impacto deixado por esses modelos masculinos para achar uma forma de amar a Deus.

O Antigo Testamento de fato retrata Deus como pai, mas um tipo de pai diferente daqueles que Shaw e Lewis conheceram. Ele retrata Deus como leão, mas também como cordeiro, como águia, mas também como galinha, como rei, mas também como servo, como juiz, mas também como pastor. Quando achamos ter descoberto exatamente quem Deus é, o Antigo Testamento apresenta-o de outra forma: assobiador, barbeiro ou viticultor.

Como uma batida de percussão que nunca pára, ouvimos no Antigo Testamento a mensagem constante de que esse mundo gira em torno de Deus e não de nós. Os hebreus tinham lembretes incessantes embutidos na sua cultura. Dedicavam os primogênitos dos filhos e do gado a Deus, usavam partes escritas da lei amarradas à testa e ao braço, colocavam lembretes visíveis nos umbrais das portas, bendiziam a Deus continuamente (a regra era cem vezes por dia) e até usavam cortes especiais de cabelo e costuravam franjas em suas roupas. Um judeu piedoso dificilmente passaria uma hora, e ainda mais um dia, sem dar de cara com algum lembrete de que ele vivia em um mundo de Deus. Até o calendário judaico marcava o tempo baseando-se em eventos como a Páscoa e o Dia da Expiação, e não simplesmente pelo ciclo da colheita ou da lua. O mundo, criam eles, é propriedade de Deus. Toda a vida humana é "sagrada", o que significa simplesmente que compete a Deus agir como queira.

Esse entendimento do Antigo Testamento nos soa contrário ao que observamos no Ocidente. As constituições das sociedades ocidentais modernas (como a americana) garantem o direito à vida, à liberdade e à busca da felicidade. Rebelamo-nos contra qualquer prejuízo de nossos direitos e contra qualquer pessoa que tente impor limites que possam invadir nosso espaço. Em nosso mundo secularizado e industrializado, conseguimos passar uma semana inteira sem deparar com sequer um lembrete de que esse mundo é de Deus.

Lembro-me de uma mensagem que ouvi num culto do Wheaton College na década de setenta, quando o movimento da Morte de Deus tinha chegado ao ápice. O professor Robert Webber tinha escolhido como tema o terceiro mandamento: "Não tomarás o nome do Senhor teu Deus em vão". Geralmente interpretamos esse mandamento no sentido mais restrito de não poder usar impensadamente o nome de Deus nas conversas, disse Webber. Ele então continuou e expandiu o significado do mandamento para "nunca viva como se Deus não existisse". Ou, expresso de forma positiva: "Viva sempre consciente da existência de Deus". Quanto mais estudo esse mandamento no ambiente do Antigo Testamento, mais concordo com Webber. E, se há uma chave para vivermos nessa consciência, certamente encontra-se no grande legado judeu do Antigo Testamento.

Não estou propondo um retorno às madeixas, aos filactérios ou a uma dieta que exclua carne de porco ou lagosta. Mesmo assim, creio que temos muito que aprender de um povo cuja vida diária girava em torno de Deus. Quando examinamos lá atrás a aliança entre Deus e os antigos hebreus, o que nos salta à vista é a severidade, a aparente arbitrariedade de algumas leis. No entanto, não vejo esse tipo de reação entre os judeus. Poucos entre eles pleiteavam restrições alimentares mais amenas ou a eliminação de algumas obrigações religiosas. Antes, pareciam sentir-se aliviados porque o seu Deus — ao contrário de deuses pagãos à sua volta — tinha concordado em definir as bases de um relacionamento com eles.

Como o teólogo puritano Pery Miller disse, quando você tem uma aliança com Deus, já não tem uma divindade inefável, remota e inalcançável; aí você tem um Deus com quem pode contar. Os hebreus e Deus tinham iniciado um tipo de história conjunta, e tudo na vida deles ecoava essa história conjunta. Era uma história de amor desde o início. Deus os escolhera não porque fossem maiores ou mais poderosos que outras tribos — muito pelo contrário. Tampouco os escolhera pela superioridade moral. Ele os escolhera porque os amava.

Como um amante loucamente apaixonado, Deus esperava uma reação deles. Todas as ordens dadas aos hebreus brotavam do primeiro mandamento: "Amarás o Senhor teu Deus de todo o teu coração, de toda a tua alma, e de toda a tua força". É verdade que os hebreus não lograram cumprir esse mandamento, mas a razão porque os cristãos agora chamam três quartos da Bíblia de "Antigo" Testamento é que nem mesmo essa terrível falta pôde cancelar o amor divino. Deus achou um novo caminho — uma nova aliança ou testamento de seu amor.

Søren Kierkegaard oferece duas sugestões para o leitor que depara com os trechos difíceis da Bíblia. A primeira é: leia o trecho como uma carta de amor. Ao lutar com a linguagem e a cultura, dentre outras barreiras, considere-as como trabalho necessário para chegar à mensagem principal de alguém que ama você. A segunda sugestão é: pratique aquilo que já conseguiu entender. À objeção de que "Há tantas passagens obscuras nas Escrituras Sagradas, livros inteiros que são quase quebra-cabeças", Kierkegaard se opõe dizendo que só levaria a sério essa objeção vinda de uma pessoa que já tivesse um compromisso com todas as passagens de fácil compreensão.

Será que Deus é bom mesmo?

Por milhares de anos os judeus fizeram a seguinte oração: "Dai graças ao Senhor, pois ele é bom, porque o seu amor dura para sempre". Eis uma oração excelente para a nossa reflexão, porque são exatamente as duas coisas de que mais duvidamos hoje. O Senhor é bom? O seu amor dura para sempre? Basta uma breve observação da história ou um exame das manchetes de qualquer dia, e uma pessoa racional começa a duvidar dessas afirmações tão ousadas. Essas também são razões por que o Antigo Testamento merece a nossa atenção, pois os judeus evidentemente duvidavam da oração própria que faziam. Porém, como é comum nos relacionamentos íntimos, levavam essas dúvidas à outra parte, ao próprio Deus, e recebiam resposta direta.

Aprendemos no Antigo Testamento como Deus age muito diferente do que poderíamos imaginar. Ele se move lentamente, de forma imprevisível e paradoxal. Os primeiros onze capítulos de Gênesis apresentam uma série de falhas humanas que questionam todo o projeto da criação de Deus. Como solução para essas falhas, Deus manifesta seu plano em Gênesis 12: lidar com o problema da humanidade estabelecendo uma família especial, uma tribo conhecida como os hebreus (mais tarde chamados judeus). Por intermédio deles, o útero da Encarnação, Deus trará restauração para toda a terra, a volta para o projeto inicial.

Uma vez apresentado o plano, Deus continua a agir de forma muito misteriosa. Para fundar sua tribo, escolhe um pagão da região que hoje é o Iraque e o faz passar por uma série de testes, em muitos dos quais Abraão não se sai bem. No Egito, por exemplo, ele demonstra uma moral inferior à dos adoradores do sol.

Depois de prometer uma descendência numerosa como as estrelas do céu e a areia do mar, o que Deus faz é dar prosseguimento a uma "clínica de *in*fertilidade". Abraão e Sara esperam até os noventa anos para ver o primeiro filho; a nora deles, Rebeca, permanece estéril por muito tempo; o filho dela, Jacó, tem de esperar catorze anos pela esposa dos seus sonhos, para descobrir então que ela também é estéril. Três gerações de mulheres estéreis não parece ser uma maneira muito eficiente de constituir uma grande nação.

Depois de fazer promessas semelhantes de uma terra especial (Abraão possuía somente um túmulo em Canaã), Deus faz os israelitas passarem por um desvio no Egito, onde eles apodrecem por *quatro séculos* até que Moisés chega para conduzi-los à terra prometida, peregrinação deplorável que leva quarenta anos em vez das duas semanas esperadas. Evidentemente Deus trabalha com um calendário diferente do usado por seres humanos impacientes.

As surpresas continuam na era do Novo Testamento, pois nenhum dos orgulhosos mestres judeus reconhece Jesus de Nazaré como o Messias anunciado de forma triunfal nos Salmos e nos Profetas.

Aliás, isso continua acontecendo hoje quando profetas autoproclamados identificam com o anticristo, de forma convicta, uma sucessão de tiranos e de pessoas de expressão mundial, para depois verem Hitler, Stalin, Kissinger e Hussein simplesmente desaparecer de cena.

Os cristãos que vivem na atualidade deparam com muitas promessas não-cumpridas. A pobreza e a população mundial continuam crescendo assustadoramente, e o cristianismo com muita dificuldade procura manter sua percentagem entre a população. O planeta tende à autodestruição. Esperamos e continuamos esperando os dias gloriosos prometidos pelos profetas e pelo Apocalipse. Com Abraão, José, Moisés e Davi aprendemos, pelo menos, o fato de que Deus age por meios que não poderíamos prever, nem mesmo desejar. Às vezes a história de Deus parece operar num plano totalmente diferente do nosso.

O Antigo Testamento dá um vislumbr do tipo de história que Deus está escrevendo. O Êxodo identifica pelo nome as duas parteiras hebréias que ajudaram a salvar a vida de Moisés, mas não se importa em registrar o nome do Faraó que estava regendo o Egito na época (omissão que tem deixado os estudiosos perplexos desde aquela época). O Primeiro Livro dos Reis dedica um total de oito versículos ao rei Onri, ainda que os estudiosos seculares o considerem um dos reis mais poderosos de Israel. Na sua maneira de fazer história, Deus não se impressiona com tamanho, poder ou riqueza. Fé é o que ele está esperando, e os heróis que vemos surgir são heróis da fé, não de poder ou riqueza.

Portanto, a história de Deus concentra-se nos fiéis a ele, não importa o resultado dos fatos. Quando Nabucodonosor, um dos muitos tiranos que perseguiram os judeus, ameaça três jovens de ser torturados pelo fogo, eles respondem:

> Se formos lançados na fornalha de fogo ardente, o nosso Deus, a quem nós servimos, pode livrar-nos dela, e ele nos livrará da tua mão, ó rei. Se não, fica sabendo, ó rei, que não serviremos a teus deuses, nem adoraremos a imagem de ouro que levantaste.

Impérios erguem-se e caem, líderes poderosos são catapultados ao poder e depois despencam de lá. O mesmo Nabucodonosor que lançou esses três jovens na fornalha acaba insano, pastando no campo como uma vaca. Os impérios que se seguem ao dele — Pérsia, Grécia e Roma — tão poderosos em seus dias, são postos na lata do lixo da história. Enquanto isso o povo de Deus sobrevive até aos *pogroms* assassinos. Aos poucos, com esmero, Deus escreve sua história na terra por meio dos atos de seus fiéis seguidores, um por um.

Com a sua história de tortura, os judeus demonstram a lição mais surpreendente de todas: não se erra quando Deus é levado a sério como pessoa. Deus não é um poder indistinto que vive em algum lugar do céu, não é uma abstração como os gregos propuseram, não é um super-homem sensual como o que os romanos adoravam e com certeza não é o relojoeiro ausente dos deístas. Deus é *pessoal*. Ele entra na vida das pessoas, vira famílias de cabeça para baixo, aparece em lugares inesperados, escolhe líderes com poucas probabilidades de sucesso, chama as pessoas a prestar contas. Acima de tudo, Deus ama.

Como o grande teólogo judeu Abraham Heschel escreveu em *The prophets* [*Os profetas*]:

> Deus não se revela ao profeta por meio de um absoluto abstrato, mas por meio de uma relação pessoal e íntima com o mundo. Ele não está simplesmente exigindo obediência e contando que será obedecido; também é tocado e influenciado pelo que acontece no mundo, reagindo a isso. Os fatos e os atos humanos despertam nele alegria ou tristeza, prazer ou ira [...] Os atos dos seres humanos movem-no, abalam-no, causam-lhe tristeza ou, senão, dão-lhe satisfação e prazer.
>
> [...] o Deus de Israel é um Deus que ama, um Deus que se dá a conhecer ao ser humano e se preocupa com ele. Não somente rege o mundo na majestade do seu poder e sabedoria, mas reage intimamente diante dos fatos da história.

Mais do que qualquer outra imagem, Deus escolhe "crianças" e "amantes" para classificar nosso relacionamento com ele de algo íntimo e pessoal. O Antigo Testamento está repleto de exemplos da figura noivo—noiva. Deus corteja seu povo e está apaixonado por ele como um amante por sua amada. Quando seu povo não lhe dá importância, ele se sente machucado e desprezado como um amante traído. Mudando as metáforas de geração em geração, o Antigo Testamento também informa que somos os filhos de Deus. Em outras palavras, o mais próximo que podemos chegar da compreensão de como Deus nos vê é pensar nas pessoas mais importantes para nós: nossos próprios filhos, e a pessoa que amamos.

Pense no pai "coruja" com a filmadora na mão, estimulando a filha de um ano a soltar a mão da mesa de centro da sala de estar e dar três passos em direção a ele: "Vamos lá, querida. Você vai conseguir! É só soltar a mão da mesa. Papai está aqui. Venha, vamos". Pense numa adolescente perdidamente apaixonada com a orelha presa ao telefone durante horas para contar todos os detalhes de seu dia a um rapaz que, de tão apaixonado que também está, até se interessa por tudo isso. Pense nessas duas cenas e depois imagine Deus numa ponta e você na outra. Essa é a mensagem do Antigo Testamento.

Veja quem são as companhias de Deus

É possível saber muito sobre uma pessoa ao observar os amigos que ela escolhe. E nada em Deus é mais surpreendente do que a escolha que fez de suas companhias, alvos de sua intimidade escolhidos a dedo. Abraão mentiu pela esposa, Jacó enganou o irmão, Moisés cometeu assassinato, Davi matou e adulterou — mesmo assim todos foram parar na lista dos preferidos de Deus. Jacó conseguiu o seu nome novo *Israel* (aquele que luta com Deus) depois de uma luta com Deus que durou a noite toda. Desde esse dia o nome do povo de Deus lembra aquela luta. Os integrantes do povo de Deus são literalmente filhos do conflito.*

* Thomas F. Torrance (*The mediation of Christ* [*A mediação de Cristo*]) especula que o anti-semitismo talvez encontre suas origens nesse aspecto. O conflito de Israel com Deus, seu relacionamento "amor — ódio" com ele reflete nosso relacionamento com Deus. No entanto, em vez de descontar o nosso ressentimento em Deus, nós o descontamos nos judeus, o povo escolhido de Deus: "... embora nossa verdadeira luta seja com a luz perscrutadora da revelação divina refletida por Israel, é contra o próprio povo de Israel que extravasamos nosso ressentimento. Aí temos, creio, a raiz do anti-semitismo. Mas sempre que o anti-semitismo surge, onde quer que seja, temos um sinal claro de que as pessoas estão engajadas num conflito com Deus, e com o mesmo tipo de conflito que deixou a sua marca sobre Israel. Nenhum outro povo se envolveu com tamanha profundidade ou intensidade na contradição entre Deus e o ser humano quanto Israel".

Deus acerta os ponteiros com murmuradores ruidosos como Jó, Jeremias e Jonas. Ele enfrenta Abraão e Moisés em discussões longas — e às vezes os deixa ganhar! Na luta livre com Jacó, Deus espera até o dia raiar para lhe infligir a ferida; até então Jacó também não baixa a guarda. É evidente que Deus prefere discordância sincera a submissão insincera. Ele leva os seres humanos a sério, dialoga com eles, os inclui em seus planos e ouve o que têm a dizer.

Se a lição sobre Deus de maior impacto no Antigo Testamento é que ele é pessoal e íntimo, a lição de maior impacto sobre os seres humanos é que temos importância. O que dizemos, como nos comportamos e até o que pensamos e sentimos — tudo isso tem um efeito muito grande sobre Deus. Na verdade, essas coisas têm implicações cósmicas.

Todos os que vivemos nesta era, na qual o nosso planeta foi visto da perspectiva de uma nave espacial, um minúsculo globo azul e verde suspenso na vastidão inimaginável do universo, temos dificuldade de acreditar que tenhamos alguma importância. Ironicamente foi a nossa conquista tecnológica mais avançada, o telescópio Hubble, que expôs nossa pequenez cósmica. Ernst Becker diz que carregamos no peito "a dor cósmica de sermos especiais". Ele tenta imaginar como é possível sermos objetos de primeira grandeza no universo.

O *bad-boy* do basquete Dennis Rodman ilustra a visão moderna: "Se existe um ser supremo, ele tem um montão de coisas a mais com que se preocupar do que com meus problemas idiotas". Na verdade, muito do Antigo Testamento é dedicado a superar exatamente essa objeção entre os antigos hebreus.

> Quando vejo os teus céus,
> obra dos teus dedos,
> e a lua e as estrelas que preparaste,
> que é o homem mortal para que te lembres dele,
> o filho do homem, para que o visites?

Os relatos mesopotâmicos da criação retratam os seres humanos como quase secundários entre as coisas criadas, seres inferiores feitos para servir aos deuses em seus caprichos e satisfazer seus desejos. O relato de Gênesis, ao contrário, situa o homem e a mulher no ápice da criação e os reveste com a liberdade e a capacidade de determinar — ou arruinar — todo o resto. De acordo com Cícero, "Os deuses se importam com grandes questões; negligenciam as pequenas". O Antigo Testamento discorda, mostrando, em vez disso, um Deus que tem "prazer em seu povo". O salmo 8, que começa com a admiração por causa da preocupação de Deus pelos seres humanos, continua assim:

> Contudo, pouco menor do que Deus o fizeste, e de glória e de honra o coroaste.
>
> Fazes com que ele tenha domínio sobre as obras das tuas mãos; tudo puseste debaixo de seus pés...

Davi e os outros salmistas parecem perplexos diante da idéia de que o Deus altíssimo lá no céu possa se importar com coisas que acontecem neste insignificante planeta, mas repetidas vezes Deus lhes prova isso de forma irrefutável. A mensagem de que as nossas ações importam praticamente define o Antigo Testamento. Nossas ações mexem com Deus de forma profunda. Há um versículo em Sofonias que expressa isso muito bem:

> O Senhor teu Deus está no meio de ti, poderoso para te salvar. Ele se deleitará em ti com alegria, renovar-te-á no seu amor, regozijar-se-á em ti com júbilo.

Os cientistas de hoje, mesmo os agnósticos, reconhecem, com relutância, um "princípio antrópico", pois o universo está afinado de forma tão precisa que parece projetado para apoiar a existência da vida humana. O Antigo Testamento vê muito mais do que um "princípio antrópico" em ação no mundo. Deus contraria o fluxo de toda a religião, que, até então, tinha retratado os deuses como seres sobrenaturais cujas ações se refletem sobre a vida na terra. Um deus chora, e chove na terra; outro deus fica irado, e troveja. O Antigo Testamento mostra — e em nenhum lugar isso é mais claro que em Jó — exatamente o contrário. Uma mulher desesperada ora, e Deus envia um profeta; um homem desconsolado nega-se a amaldiçoar a Deus, e o impacto reverbera pelo cosmo.

Por essa razão, pode-se dizer de fato que os judeus inventaram a história. Para eles, a história não estava somente repetindo ciclos de tempo; as ações humanas sobre a terra importavam, e essas ações criavam a história. O soberano Senhor da história permite que as pessoas exerçam influência sobre ele, da mesma forma que ele exerce influência sobre elas. O filósofo Glenn Tinder faz uma diferenciação entre destino e sina. Os judeus nos deram um senso de destino, a idéia de que não existimos num mundo sem sentido para satisfazer os caprichos de algum deus, mas existimos para viver um destino, cheio de significado, um projeto de vida decretado por um Deus pessoal.

Visite um museu com objetos dos vizinhos de Israel e você verá a diferença. No Egito e na Síria você observa os deuses Osíris, Lil ou Astarote. Nenhum judeu pode mostrar uma imagem assim, porque essas imagens sempre foram proibidas em Israel. Tudo o que pode fazer é repetir a história judaica, a história de um relacionamento: nosso Deus falou a Abraão, chamou Moisés e nos tirou do Egito. Jack Miles diz que "Deus é um romancista que [...] só consegue contar a própria história por meio de suas personagens".

No final das contas, apaixonei-me pelo Antigo Testamento, porque me oferece uma história de que posso fazer parte. Ao conhecer as personagens que tentaram, de alguma maneira, "entender-se com Deus", encontrei-me nelas. Em diferentes épocas, identifiquei-me com Jó, com Jacó, com o pregador de Eclesiastes, com os salmistas em seus estados de espírito tão oscilantes. Por meio da vida deles com Deus, descobri a minha vida com ele.

Já há algum tempo tenho perguntado a amigos: "O que seria mesmo um verdadeiro relacionamento com Deus? Como isso funciona?". Imagine as respostas diversas que eu receberia de Abraão, Enoque, Jeremias, Isaías, Moisés, Jacó, Davi, Jonas e Jó. Cada uma dessas personagens teve experiências radicalmente diferentes com Deus, e tenho a possibilidade de entrar em suas histórias e aprender com seus encontros com o Pai. A vida com Deus é um assunto pessoal e dificilmente fórmulas gerais servem para alguma coisa.

Kathleen Norris conta das suas experiências como visitante num mosteiro beneditino, onde os monges recitam e cantam os salmos diariamente, passando por todos os 150 salmos num mês. No início, Norris se sentiu confusa e desconfortável com a dissonância dos salmos, pois alguns expressam consolo espiritual, enquanto outros clamam contra a ausência ou a injustiça de Deus. Com o passar do tempo, no entanto, ao conhecer melhor os monges e outros hóspedes que recitavam os salmos, ela se conscientizou de que *alguém* no mosteiro estava identificando-se com as palavras de cada salmo. Cada um refletia alguma faceta da vida com Deus, e as pessoas com olhos para ver e ouvidos para ouvir estavam recebendo a mensagem de que precisavam.

Creio que o cristianismo contemporâneo, com uma convergência restrita às epístolas, tem negligenciado essa verdade. Cresci em igrejas evangélicas, e o quadro de vida cristã que recebi foi exclusivamente de Paulo, que, na minha opinião, dificilmente pode ser considerado um cristão "típico". O apóstolo teve uma experiência de conversão espetacular, uma história de milagres e intervenções sobrenaturais e, a não ser por Romanos 7 — que capítulo abençoado —, aparentemente foi fácil para ele pôr em prática os grandes ideais da vida cristã ou, no mínimo, foi mais fácil para ele do que está sendo para mim. Depois que Paulo entendia algo com o intelecto, suas emoções tinham a tendência de se submeter. Em minha experiência, tentar imitar Paulo (o que ele nos estimula a fazer) não tem sido mais fácil do que procurar imitar a Jesus.

Descobri no Antigo Testamento uma tapeçaria rica dos encontros com Deus que se assomam, de modo muito importante, ao exemplo de Paulo, servindo-lhe de cenário. Em Salmos, por exemplo, achei perplexidade, confusão, raiva, desespero e angústia tais que nunca ouvira tratados em minha igreja. Sempre avançávamos muito rapidamente para uma experiência mais "elevada" de vitória espiritual. Para minha surpresa, descobri que esses salmos "problemáticos" eram os que o Novo Testamento mais citava, especialmente Jesus!

Por muito tempo lutei com os ideais impossíveis do Sermão do Monte e com o tom autoconfiante e do tipo "Deus mandou, então faça" das cartas do Novo Testamento. Encontrei uma forma de ver as coisas totalmente diferente nos livros de Provérbios e Eclesiastes.

Eles usam um "Áureo Meio-Termo": ganhe dinheiro, mas não demais; tenha prazer, mas não se torne hedonista. Esses, aliás, têm sido os princípios segundo os quais os pais sempre têm educado seus filhos. Não consigo imaginar alguém criando uma criança de três anos com base nos princípios do Sermão do Monte.

Minha intenção não é apontar uma diferença sensível entre o Antigo e o Novo Testamento. Muito ao contrário. Seria um erro ler o Antigo Testamento meramente para contrapô-lo ao Novo ou para acrescentar algo à nossa compreensão do Novo. Ele tem uma realidade em si mesmo. Ler o Antigo Testamento não é "ler a correspondência de outra pessoa", como disse certo teólogo; é também a nossa correspondência. As pessoas que aparecem nele eram pessoas de verdade, aprendendo a se entender com o mesmo Deus que eu adoro hoje. Preciso aprender com as experiências delas, mesmo ao tentar incorporar a maravilhosa mensagem nova trazida por Jesus e desenvolvida por Paulo e outros autores.

Diário espiritual

Enquanto estava escrevendo exatamente este capítulo, aconteceu algo triste: meu sogro faleceu. Hunter Norwood teve uma vida rica até os oitenta anos. Ele navegou para a América do Sul como missionário em 1942, construiu uma casa na floresta com as próprias mãos, fundou uma igreja e um instituto bíblico. Mais tarde, voltou para os Estados Unidos para dirigir uma organização missionária. Ao longo desse trajeto, ele e a esposa criaram seis filhas maravilhosas, uma das quais se tornou minha esposa.

Hunter era um mestre da Bíblia, por excelência, e mesmo depois de aposentado descobriu maneiras de ensinar a Palavra. Ministrou cursos por extensão no Instituto Bíblico Moody. Todos os domingos andava 45 minutos de carro para ensinar a Bíblia numa Igreja Presbiteriana. Quando a saúde começou a fraquejar, sentava-se diante da classe numa cadeira de rodas, falando ao microfone com voz quase inaudível. Há alguns anos, contratei-o para me ajudar com algumas revisões da *The student Bible*, pois não conhecia ninguém em quem pudesse confiar mais em termos de conhecimento bíblico.

Por fim, porém, em virtude do câncer e de uma doença que estava degenerando seus nervos, veio a época em que ele não conseguia mais ensinar a Bíblia. Hunter ainda a estudava fielmente cada dia e orava por uma lista enorme de todas as pessoas a quem tinha ministrado ao longo dos anos. Ele acreditava de coração na vida cristã vitoriosa e escolheu Romanos como livro favorito, seu livro-guia no relacionamento íntimo com Deus. Com o avanço da doença, no entanto, começou a questionar alguns aspectos da vida cristã vitoriosa. O que não era de admirar, considerando-se o estado em que estava. Tinham lhe instalado um cateter. Já não controlava os intestinos. As gengivas definharam tanto que já não conseguia manter a dentadura na boca, e as pessoas que vinham visitá-lo pediam-lhe constantemente que repetisse o que tinha dito. As suas mãos tremiam e muitas vezes ele deixava cair coisas. É difícil manter um espírito alegre e vitorioso quando o seu corpo se rebela contra você e quando até para tomar um copo de água ou assoar o nariz é preciso pedir ajuda.

Nos últimos dois anos de vida, o mundo de Hunter reduziu-se a um simples quarto de dormir, depois a uma cama de hospital, de onde raramente saía. Ali, até o dia em que não conseguiu mais segurar uma caneta, registrou um diário de sua luta com Deus. Estou com esse caderno de espiral no colo enquanto escrevo. Folheando de trás para frente, encontro as listas de pessoas pelas quais orava fielmente, dezessete páginas de listas: sua família ampliada (onde está o meu nome ao lado do nome de minha esposa), os índios da América do Sul, os alunos de muitas classes de Bíblia, os missionários que estavam sob sua liderança, sua igreja, viúvas, os vizinhos. Manchas de café, comida e lágrimas marcam as páginas.

Se viro o caderno e começo do outro lado, encontro o diário de Hunter sobre o seu relacionamento com Deus. São dezenove páginas, e consigo perceber o avanço da doença por meio da escrita que vai degenerando-se a cada página. Na maioria das vezes, cita um versículo da Bíblia ou faz um comentário sobre algum trecho. Algumas vezes, fala de seu estado de saúde: dor nas costas, pernas que não querem obedecer, falta de forças e desidratação. A última anotação, quase ilegível, data de 7 de agosto, quase exatamente um ano antes de sua morte. Por todo o último ano de vida ele não conseguiu escrever.

O que mais me marca nesse diário é que das centenas de anotações diárias, só nove referem-se a versículos do Novo Testamento. Há registros como estes:

> Salmo 28. Pai, ajuda-me! Estou me sentindo oprimido, triste, com medo.
> 2Reis 11—14. Tão poucos parecem permanecer fiéis a Deus, mas ele é compassivo e misericordioso!
> Salmos 53.5. Lá estavam, dominados pelo pavor, quando não tinham por que temer.
> Salmos 59.4. Levanta-te para me ajudar; contempla a minha terrível situação.
> Jó 42.2. Eu sei que podes fazer todas as coisas. Nenhum dos teus planos pode ser frustrado!
> Salmos 71.14. Mas, quanto a mim, sempre terei esperança!
> Salmos 20.1. O Senhor te responda na tribulação; o Senhor te proteja!
> 2Crônicas 28.20. Não *temas* nem te *amedrontes* porque o Senhor meu Deus está contigo.
> Lamentações 3.26. É bom esperar em silêncio a salvação do Senhor.
> Salmo 139. Feitos de forma incrível e maravilhosa.
> Salmo 27. O Senhor é a minha fortaleza. A quem temerei?
> Jó 23.10. Se ele me provasse, sairia eu como o ouro.
> Salmos 40.17. Ó Senhor meu Deus, não demores!
> Jó 36.15. Fala com eles na aflição.
> Jeremias 46.28. Não temas, ó Jacó, servo meu, diz o Senhor, pois estou contigo.
> Salmos 116.15. Preciosa é à vista do Senhor a morte dos seus santos.
> Salmos 121.2. O meu *socorro* vem do *Senhor*...
> Salmos 10.14. Tu, Senhor, *vês as dificuldades e a dor*.

As pessoas que conheceram Hunter Norwood sabem que os últimos anos foram de longe os mais difíceis. Os seus adversários da fé o tinham apedrejado na Colômbia. Ele enfrentou crocodilos, cobras venenosas e piranhas no Peru. Criou seis filhas em duas culturas diferentes. Contudo, nada disso se comparava às dificuldades de ficar de cama o dia todo, o corpo desafiando cada simples comando, à espera da morte. Perto do fim, gastava todas as energias para realizar atos simples como engolir ou respirar.

Hunter passou por uma crise na fé naqueles últimos anos, o que mencionava abertamente. Respostas que antes o satisfaziam, já não eram suficientes. Perdeu a confiança espiritual, não em Deus, mas em si mesmo. Ao ficar ansioso, impaciente e com medo, derramava lágrimas amargas por causa da incapacidade de manter a compostura. Com a morte à porta, queria "terminar bem", algo que ele repetia a toda hora. Entretanto, sempre voltava a se decepcionar consigo mesmo. Tinha medo de decepcionar a Deus.

A fé vacilante, e mesmo assim firmada na rocha, encontrada no Antigo Testamento, foi o que o sustentou quando nada mais resolvia. Mesmo nos momentos de maior dúvida, confortava-se por saber que algumas das personagens favoritas de Deus tinham combatido os mesmos demônios que estava enfrentando. Hunter aprendeu que os braços do Senhor são longos e ele abraça aqueles a quem ama, não somente em dias de prosperidade e de alegria, mas principalmente em dias de duro embate. Alegra-me saber que, naqueles dias de escuridão, Hunter Norwood tinha o Antigo Testamento para nele se apoiar.

dois

Jó: Enxergando no escuro

DOIS

Jó: Enxergando no escuro

Que vantagem tem o leão em meter medo no ratinho?

— CARL JUNG

Por ter iniciado minha carreira como jornalista contando as histórias dos outros, já aos vinte e poucos anos deparei com o problema do sofrimento. Ao seguir várias pistas para diversos tipos de artigos, acabava ao lado da cama de alguém vitimado pela tragédia. Um jovem atacado por um urso feroz ao tentar salvar a namorada, um pai que morreu ao proteger os filhos com o próprio corpo durante uma nevasca no monte Rainier, outro homem que escolheu uma vida de crimes a fim de pôr para fora toda a rebeldia contra o abuso que tinha sofrido quando criança — escrevi essas e outras histórias para a revista *Seleções*, numa série especial intitulada "A vida como ela é".

Cada pessoa que entrevistei disse que a tragédia experimentada a colocou contra a parede em relação a Deus. Infelizmente, cada uma dessas pessoas também fez uma acusação devastadora sobre a igreja: os cristãos, assim disseram essas pessoas, ainda pioravam as coisas. Um por um, esses cristãos visitavam os quartos de hospital com as suas teorias favoritas: "Deus está castigando você"; "Não, não é Deus, é Satanás!"; "Não, é Deus, que escolheu você especialmente para dar glória a ele"; "Não é Deus nem Satanás, o que aconteceu é que você se encontrou com uma ursa furiosa.

Um dos sobreviventes me disse o seguinte: "Essas teorias sobre o sofrimento só me confundiram; na verdade, nenhuma me ajudou.

Mais do que tudo, precisava de conforto e segurança por parte de Deus e do seu povo. Em quase todos os casos, porém, esses cristãos só me trouxeram mais dor e pouco consolo".

Escrevi o livro *Deus sabe que sofremos* em resposta direta a esse problema. O sofrimento das pessoas que havia entrevistado tinha se tornado meu sofrimento; seus questionamentos agora também eram meus. Mais tarde, em resposta a centenas de cartas que traziam à tona mais questões sobre Deus e o sofrimento, escrevi uma espécie de "parte 2" do livro, chamada *Decepcionado com Deus*. Mesmo que os meus escritos tenham se enveredado depois disso para outros assuntos, nunca parei de pensar nas questões que me perseguiram nesses primeiros anos como jornalista.

O problema do sofrimento não é algo que se possa resolver facilmente e depois arquivar. Ouve-se o seu brado cada vez que um furacão fustiga algum lugar, cada vez que um vizinho descobre que seu filho é deficiente, cada vez que alguém da minha família fica sabendo do diagnóstico terrível de câncer, cada vez que um sintoma físico me obriga a ir ao médico. Nascemos envoltos por sangue e líquidos do corpo, em meio a lágrimas e gritos de dor, morremos da mesma forma e entre nascimento e morte perguntamos: "Por quê?".

Por essa razão acabo sempre voltando ao livro de Jó, o tratado mais abrangente da Bíblia acerca do problema do sofrimento. Foi assim, pelo menos, que pensei por um bom tempo. Se você tivesse me perguntado há uma década o tema principal de Jó, eu teria respondido sem hesitar: "Jó? Todo o mundo sabe do que trata o livro de Jó. Trata-se do exame mais completo da Bíblia em relação ao problema da dor e do sofrimento".

Ainda cito Jó sempre que escrevo sobre sofrimento, e, sem dúvida, o cerne do livro (caps. 3—37) gira em torno do tema. Esses capítulos não relatam nenhuma ação memorável, somente cinco homens espinhentos — Jó, os três amigos e o quase sempre calado Eliú —, sentados, discutindo teorias sobre o sofrimento. Da mesma maneira que os visitantes de hospital a que me referi acima quando falava de minhas entrevistas, os amigos de Jó estavam tentando entender as "flechas e ataques ultrajantes do destino" que haviam caído sobre o pobre Jó. Eles quase alcançaram os mesmos resultados daqueles visitantes de hospital, fazendo com que Jó se sentisse ainda mais infeliz.

No Antigo Testamento, crentes fiéis como Jó e seus amigos assustavam-se quando acometidos pelo sofrimento, pois com certa razão contavam que Deus os recompensaria com prosperidade e saúde. O livro de Jó significa um passo adiante da "fé por contrato" pressuposta na maior parte do Antigo Testamento: Faça o bem e será abençoado; faça o mal e será punido. Muitos estudiosos crêem que o livro de Jó foi uma ajuda fundamental para ensinar Israel a lidar com a série de calamidades que se abateram sobre a nação. Essa história clássica sobre uma pessoa trouxe à tona questões que perseguiam toda a nação: Como é possível que o "povo escolhido" de Deus sofra tantos infortúnios?

Jó concentra-se, de fato, no problema do sofrimento, mas de maneira totalmente inesperada. O livro consegue postular brilhantemente as perguntas mais freqüentes que fazemos, e aí muda de rumo ao propor uma forma bem diferente de enxergar o problema. Como a maior parte do Antigo Testamento, Jó primeiro frustra ao rejeitar as respostas simples que cremos necessárias e depois nos satisfaz de forma estranha ao mostrar uma nova direção marcada pelo flagrante realismo e um vislumbre quase inatingível de esperança.

Uma história para todas as épocas

O livro de Jó fascinou tanto João Calvino que 159 de seus 700 sermões foram baseados nele. A história da humanidade depois de Calvino só realçou ainda mais a premência desses assuntos. Para nós, seres humanos modernos, o potencial da história de Jó é quase ilimitado. O tema do sofrimento não merecido parece encaixar-se de forma singular ao nosso século tão marcado pela dor, uma época que viu duas guerras mundiais, dois ataques com bombas atômicas e genocídios de forma desproporcional na história. Por conseqüência, o retrato do genial velho Jó, resmungando e lamentando-se enquanto o mundo desaba à sua volta, parece encaixar-se muito bem como um dos estereótipos modernos favoritos.

Neil Simon tomou emprestado o cenário de Jó para uma peça, *God's favorite* [*O predileto de Deus*] como fez também Archibald

MacLeish (*J. B.*) e Robert Frost (*The masque of reason* [*O espetáculo da razão*]). Mais recentemente, o romancista Muriel Spark produziu uma versão atualizada e moderna da trama de Jó (*The only problem* [*O único problema*]). Mesmo a peça *Amadeus* deve muito de sua trama a Jó, pois o autor tratou a mesma questão invertendo a perspectiva. Jó não entendia por que ele, homem inocente, estava sofrendo o juízo de Deus; o compositor Salieri questiona por que Mozart, um gênio canalha, recebera o favor de Deus.

Todas as caricaturas recentes de Jó exploram o enigma postulado por esse livro do Antigo Testamento. Os amigos de Jó insistiam em dizer que um Deus justo, amoroso e poderoso deveria seguir certas regras na terra, principalmente recompensar os que fazem o bem e punir os que praticam o mal. Todas as afirmações desses amigos tão falantes se reduzem basicamente a este argumento: como Jó sofreu, deve ter pecado.

Para Jó, que conhecia a própria alma, nada daquilo tinha sentido. Ele não tinha feito coisa nenhuma que o fizesse merecer esse conjunto de calamidades. E, no nosso caso, os fatos também não têm muito sentido. Vemos o rosto do sofrimento inexplicável em todo lugar: os judeus no holocausto, as vítimas da fome na África, os cristãos em prisões muçulmanas. As pessoas que ainda hoje defendem a fórmula tão bem acabada dos amigos de Jó — e há muitas, se é que os programas de rádio e TV cristãos dão alguma indicação disso — deveriam analisar o seguinte fato, bastante elucidativo, por sinal: o continente mais vigorosamente cristão, a África, é também o mais faminto, enquanto a região mais ferozmente não-cristã sobre a face da terra, nos arredores do mar da Arábia, é também a mais rica. (Quando Robert Schuller compilou a *The possibility thinker's Bible* [*A Bíblia do pensador da possibilidade*], ele achou somente 14 versículos para realçar no livro de Jó.)

Na verdade, as questões suscitadas por Jó de forma tão eloqüente não desapareceram ao longo dos séculos, mas se tornaram mais sonoras e penetrantes. O romance de Spark *The only problem* [*O único problema*]* extrai o seu título de uma frase numa conversa sobre como um Deus bom pode permitir o sofrimento. "No fundo, esse é o único problema que merece a nossa discussão", conclui o protagonista.

* No Brasil, o romance foi publicado com o título *Razão de Deus*. (N. do E.)

O problema do sofrimento é uma obsessão moderna, é a *criptonita* teológica de nossos tempos, e o patriarca Jó conseguiu expressar isso melhor do que jamais alguém foi capaz em nenhuma época da história humana.

Entretanto, apesar de todos os ecos encontrados na literatura moderna, apesar da minha fundamentação em Jó quando escrevo sobre o sofrimento, apesar do fato de que quase todas as páginas de Jó tratam do sofrimento, concluí que o livro de Jó não está centralizado de forma alguma no problema do sofrimento. Os detalhes do sofrimento servem de ingredientes da história, o material de que é feita, mas não compõem o tema central.

Um bolo não é algo que verse "sobre" ovos, farinha, leite e gordura; o cozinheiro só usa esses ingredientes no processo de preparar o bolo. Da mesma forma, Jó não é um livro "sobre" os caprichos do sofrimento, mas simplesmente usa esses ingredientes no esquema geral do autor. Visto como um todo, o livro de Jó é sobre fé, a história de um homem escolhido para passar por uma experiência penosa e estarrecedora através da tribulação. Sua reação apresenta uma mensagem que se aplica não somente a pessoas em sofrimento, mas a toda pessoa que vive no planeta Terra.

Os capítulos de 3 a 37 de Jó, que têm como centro o tema do sofrimento, são precedidos nos capítulos 1 e 2 pela "trama" do livro, e essa trama influi no contexto de tudo que se segue. Na maior parte do tempo, as nossas faculdades visuais só permitem um espectro bem limitado de luz; não temos certeza do que pode estar acontecendo nos bastidores. Às vezes, Jó levanta temporariamente os nossos antolhos. Quase de maneira idêntica ao caso do servo de Eliseu, que de repente viu o "carro de fogo" que tinha estado à sua volta, alcançamos nesse livro um lampejo da atuação sobrenatural que normalmente se nos mantém oculta.

É útil pensar no livro de Jó como uma peça de mistério, uma história policial. Nós da platéia chegamos cedo para uma entrevista coletiva em que o diretor da peça explica sua obra (caps. 1 e 2). Já ficamos sabendo antes do início o papel de cada um na peça e entendemos que o drama pessoal na terra tem origem num drama cósmico no céu — a disputa pela fé do homem Jó. Será que ele vai acreditar em Deus ou negá-lo?

O autor de Jó é um teatrólogo nato. Ele começa com ação nos primeiros dois capítulos, mas logo depois gravita para a sua forma mais natural de diálogo. As cortinas se fecham. Ao ser reabertas, vemos somente os atores no palco. Limitados à peça, não têm conhecimento da perspectiva onisciente que nós da platéia temos. E, apesar de sabermos as respostas do enigma, o detetive principal não as conhece. Já de início, não sabendo do ato que se passou no céu, Jó está preso nos ingredientes do drama. Atormentado pelo sofrimento, passa horas no palco tentando descobrir o que nós, espectadores, já sabemos. Ele coça-se com cacos de vasos e faz perguntas incisivas, as mesmas feitas por praticamente todas as pessoas que passam por um grande sofrimento. Por que eu? O que fiz de errado? O que Deus está tentando me dizer com isso?

Para a platéia, as questões de Jó perderam sentido, pois já sabemos as respostas. O que ele fez de errado? Nada. Deus mesmo o chama de "homem íntegro e reto, que teme a Deus e se desvia do mal" (2.3). Por que Jó está sofrendo? Sabemos de antemão que não está sendo castigado. Longe disso! Ele foi escolhido como elemento principal numa grande disputa nos céus. Jó representa o que há de melhor na espécie, e Deus o está usando para provar a Satanás que é possível um ser humano ter fé genuína e altruísta independentemente das boas dádivas de Deus. É claro que uma disputa cósmica está acompanhada de problemas, mas são diferentes dos que as pessoas enfrentam quando acometidas pelo sofrimento inesperado.

Ao permitir a olhadela por trás das cortinas nos capítulos 1 e 2, o autor de Jó entrega de bandeja todos os elementos da narrativa, a não ser um: o mistério de como Jó reagirá. Em resumo, somente a questão acerca de sua fé fica sem resposta. É um sinal evidente da genialidade do livro, mostrando por que perdura como obra de valor literário, de modo que podemos esquecer os capítulos 1 e 2 e mesmo assim ser totalmente envolvidos pela agonia de Jó. Ele luta com os elementos imponderáveis do sofrimento com tanta intensidade que, enquanto lemos o livro, suas perguntas se tornam nossas.

Jó coleciona em suas falas todos os exemplos de injustiça que consegue achar no mundo. Aqueles entre nós que conhecem a história toda, principalmente o final, correm o risco de não perceber o impacto dessas palavras de desespero. É de fato muito estranho encontrarmos os argumentos dos grandes adversários de Deus — por exemplo, as *Letters from the earth* [*Cartas da terra*] de Mark Twain, ou *Por que não sou cristão*, de Bertrand Russell — entranhados no centro da própria Bíblia. No entanto, essa é uma característica do Antigo Testamento. Como disse William Safire: "O livro de Jó dá prazer ao irreverente, satisfaz o blasfemo e oferece pelo menos um pouco de conforto ao herege".

A disputa

Muitos leitores passam rapidamente da cena atordoante dos capítulos 1 e 2 para as falas arrogantes dos amigos de Jó, passando pela excelente poesia de Deus sobre a natureza e chegando aos pouquíssimos raios de esperança que surgem nos discursos de Jó (o que é de todo surpreendente, tendo em vista toda a atenção que recebem). Entretanto, precisamos sempre nos lembrar que, por trás de tudo isso, avulta-se o cenário daqueles dois capítulos iniciais. O diretor explicou a natureza da disputa antes do início da trama.

Alguns comentaristas tratam os capítulos 1 e 2 com um leve tom de constrangimento, dando a clara impressão de que prefeririam que Jó começasse com o capítulo 3. A romancista Virginia Woolf escreveu a um amigo: "Li o livro de Jó ontem à noite — e creio que Deus não se saiu muito bem". O prólogo mostra Deus e Satanás — e quase dá para enxergar as manchas de rubor nas páginas dos comentários — bem... em algo parecido, digamos, com um jogo. Os dois oponentes fizeram um tipo de aposta, em que Deus "dá as cartas" contra si mesmo. O pobre Jó tem de passar por uma tribulação incrível para determinar o ganhador entre os dois adversários pesos pesados. Em certo sentido, Jó tem de repetir o teste original do jardim do Éden, com o obstáculo para saltos colocado mais em cima. Vivendo no paraíso, Adão e Eva tinham roteiro melhor para confiar em Deus, o qual exigiu pouco deles e derramou sobre eles as suas bênçãos. Em um verdadeiro inferno, Jó está diante do pior roteiro possível: Deus está exigindo tanto dele e, ao mesmo tempo, maldições chovem sobre sua vida.

A disputa entre Satanás e Deus não é mero exercício de trivialidades. A acusação feita por Satanás de que Jó ama a Deus só porque "o tens protegido de todos os lados" é na verdade um ataque contra o caráter divino. Implica que Deus não é digno de ser amado em si mesmo, que as pessoas o seguem somente porque ganham algo com isso ou estão sendo "subornadas" para agir assim. Na concepção de Satanás, Deus lembra um político que só ganha a eleição porque manipula os resultados, ou um mafioso que tem uma mulher interesseira e não uma esposa dedicada. As pessoas amam a Deus, disse certa vez um sacerdote, "assim como o camponês ama sua vaca, pela manteiga e pelo queijo que ela fornece". A resposta de Jó, depois que todos os auxílios e apoios forem tirados, comprovará ou refutará o desafio de Satanás. Um homem rico como Jó tem muito a perder se Deus parar de abençoá-lo. Será que continuará a confiar em Deus mesmo depois de perder tudo?

O livro está fundamentalmente ligado à questão da integridade. Jó age como se a integridade de Deus estivesse sendo julgada: Como um Deus amoroso pode tratá-lo de forma tão injusta? Todas as objeções legais de Jó, no entanto, surgem no palco mais amplo do julgamento dos capítulos 1 e 2, o teste de fé na vida de Jó. Deus, como diz um verso de Handel, está procurando a fé que "não vem por temor ou busca de recompensa". Da perspectiva onisciente do leitor, estamos tentando observar se aparecem falhas na integridade de Jó à medida que ele perde, pouco a pouco, tudo o que tem valor para ele.

A história de Jó desperta uma empatia em nós, seres humanos da modernidade, porque também colocamos Deus à prova na questão do sofrimento. De forma eloqüente e incisiva, exigimos respostas de Deus, e a forma com que Deus trata Jó é uma das questões sobre as quais nos debatemos. Contamos repetidamente a história de Jó, o citamos e nos confortamos com suas palavras de protesto. Jó traduz em palavras algumas de nossas queixas mais profundas. "Gritamos noite adentro, e não há resposta", disse Bertrand Russell.

O fato de termos tanta empatia pelo impasse de Jó revela muito sobre a atitude que hoje tomamos em relação a Deus. É significativo que, todas as vezes que essa história antiga é recontada nos dias atuais, projeta-se Jó como um herói trágico. Elie Wiesel chega ao ponto de repreender Jó por desistir e se entregar diante de Deus. Tendo sobrevivido ao holocausto, Wiesel não tem afinidade nenhuma com uma personagem que se entrega diante de Deus de forma tão humilhante. Ele prefere crer que o verdadeiro final do livro de Jó se perdeu e que "Jó morreu sem ter-se humilhado; sucumbiu ao seu sofrimento como um homem íntegro, sem abrir mão de sua postura".

C. S. Lewis abordou a razão da nossa empatia em seu ensaio *God in the dock* [*Deus no banco dos réus*]:

> O homem antigo vinha a Deus (ou até mesmo aos deuses) como o acusado ao juiz. No caso do homem de hoje, os papéis se inverteram. Ele é o juiz; Deus está no banco dos réus. Ele é um juiz bem generoso: se Deus tiver uma boa razão em sua defesa para ser o Deus que permite a guerra, a pobreza e a doença, estará então disposto a ouvi-la. O julgamento talvez até acabe na absolvição de Deus. Mas o fato importante é que o homem está no banco dos magistrados e Deus, no banco dos réus.

Embora Jó nos ajude a formular as nossas questões a respeito do sofrimento injusto, não consegue dar as respostas a muitas delas por uma razão muito simples: os capítulos 1 e 2 mostraram com clareza que, independentemente do que Jó pense, Deus não está sendo julgado nesse livro. Jó está no banco dos réus. O livro não dá as respostas para o problema do sofrimento — "Deus sabe que sofremos?" —, pois o prólogo já tratou do assunto. A questão aqui é fé: Onde está Jó? Como está reagindo?

Quanto mais estudava Jó, mais percebia que sempre tinha lido o livro da perspectiva do capítulo 3 em diante. Estava precisando voltar e reexaminar a mensagem de Jó a partir do primeiro capítulo. Foi ali que descobri a trama central: o melhor homem sobre a face da terra sofre as piores agruras, o que se torna um teste de fé no mais extremo grau.

Será que os seres humanos são de fato livres? Satanás desafiou a Deus a respeito disso. Temos, sem dúvida, a liberdade de cair — o próprio Satanás, Adão e cada pessoa comprovaram isso. Mas será que temos a liberdade e a capacidade de nos erguer, de crer em Deus sem nenhuma razão, a não ser... bem, sem absolutamente nenhuma razão? Será que alguém consegue crer mesmo quando Deus lhe aparece como um inimigo? Ou será que a fé é, como tudo na vida, apenas um produto do ambiente e das circunstâncias?

O behaviorista moderno Edward O. Wilson explica as boas ações de madre Teresa de Calcutá ressaltando que ela se sentia confiante no serviço de Cristo e na sua crença na imortalidade; em outras palavras, por crer que receberia a sua recompensa, ela agia sobre esse fundamento "egoísta". Não existe altruísmo puro, dizem Wilson e outros psicólogos da linha evolutiva. Temos fé em Deus com a esperança de obter alguma vantagem com isso.

Nos capítulos iniciais de Jó, Satanás revela-se como o primeiro grande behaviorista. Jó está condicionado a amar a Deus, ele argumenta. Tire a recompensa e veja como a sua fé se esfarela. Jó, com os olhos bem vendados e sem de nada suspeitar, é o principal protagonista a ser testado numa das maiores batalhas de um só lutador de todos os tempos.

Os amigos de Jó

Satanás não aparece uma única vez depois do capítulo 2 de Jó; nem precisa, pois os amigos de Jó representam perfeitamente bem sua maneira de enxergar as coisas. Com um golpe esplêndido de marcada ironia, a maior parte da altissonante (mas infundada) teologia do livro vem da boca de homens piedosos e espirituais que, no final, são arrasados por Deus com uma rajada que os faz murchar completamente.

Os três amigos de Jó e, de forma não tão intensa, Eliú, seguem a linha do pensamento behaviorista. O senso comum e a razão mostram, dizem eles, que um Deus justo trata as pessoas de forma justa. Deus recompensa os que lhe obedecem e permanecem fiéis. Mas castiga os que pecam. Quem poderia contrariar isso? Avançam então para a conclusão lógica de que o extremo sofrimento de Jó denuncia algum pecado grave e não confessado. Se ao menos Jó parasse de ser tão teimoso e se arrependesse, Deus certamente lhe perdoaria e restauraria a sua condição anterior.

Os amigos de Jó ficam malvistos, e com razão, uma vez que no final Deus os rejeita sumariamente. Mesmo assim, não são homens sem valor. Argumentam com muita veemência, e a sua análise fria contrapõe-se às explosões descontroladas de Jó. Creio que, se hoje tivéssemos somente Jó 3—37, consideraríamos os três amigos de Jó os verdadeiros heróis do livro. Por que estou dizendo isso? Simplesmente porque os argumentos deles ainda são os que se ouvem hoje nas igrejas.

Para entender de fato a presciência e a validade do livro para todas as épocas, analise os argumentos de Bildade, de Elifaz e de Zofar à luz do pensamento contemporâneo. Será que Deus envia sofrimento como castigo pelo pecado? Pergunte a qualquer cristão hospitalizado para ver se já não ouviu essa idéia. A afirmação mais vigorosa dos amigos de Jó — que Deus faz com que os bons prosperem e os maus tropecem — eu ouço praticamente toda vez que assisto a programas cristãos na TV. Esses programas dizem muito pouco sobre o tipo de fé que Jó detinha, perseverante mesmo quando nada acontece como deveria. Os cristãos hoje também alegam ter uma "palavra de conhecimento" para fundamentar as suas crenças, como fez Elifaz. Ele apela para a visão misteriosa de um "espírito" que confirma sua linha de argumentação e até sugere que Jó recorra a Deus em busca de um milagre (4.12-17; 5.8-10).

Em suma, os amigos de Jó surgem como os dogmatistas justos aos próprios olhos que defendem os caminhos misteriosos de Deus. Confiantes de suas doutrinas escorreitas e de seus argumentos sólidos, decretam uma condenação contra Jó. Para eles a questão parece definida: se temos de escolher entre um homem que se diz justo e um Deus que sabemos ser justo, que chance Jó poderia ter? George MacDonald compara a atitude deles com a dos fariseus, que estão mais preocupados em fazer cerimônias a Deus e em seguir várias regras do que entrar na presença de Deus como crianças. Jó, como qualquer filho, insistia em seu direito de exigir uma explicação.

Fiéis à sua piedade, os amigos ficam escandalizados com as explosões de Jó. Que idéia de questionar a Deus, a ponto de exigir uma audiência com ele! Onde já se viu?! Um adesivo de carro conseguiu captar o tom de desprezo deles: "Se você está se sentindo distante de Deus, adivinhe quem mudou".

Jó

Preso nos "elementos" do drama, Jó preocupa-se exclusivamente com a questão do sofrimento. É claro que não sabe nada sobre a disputa cósmica em torno da fé — se tivesse acesso a essa informação privilegiada faria com que seu julgamento não fosse justo. Por isso se sente traído por Deus.

Jó está diante de um dilema impossível. Rejeitar a Deus destruiria sua fé inabalável no Deus vivo, o valor mais importante de sua vida. Admitir que o sofrimento foi merecido, no entanto, também comprometeria sua integridade, porque crê ser inocente de qualquer coisa que mereça esse castigo extremo. Seus amigos fazem alusão a uma batalha terrível entre o bem e o mal; Jó está travando uma batalha moral ainda mais terrível, entre o bem e o bem. A justiça divina batera de frente com a inocência de Jó. Agora nada faz sentido.

Diante das palavras de ataque dos amigos, Jó vacila, contradiz-se e às vezes até lhes dá razão. Ele não tem contra-argumentos teológicos e reconhece que o que estão dizendo parece verdadeiro. No caso dele, entretanto, crê profundamente que estão errados, que ele não merece o destino que está tendo. Ele pecou, é verdade, mas não a ponto de "merecer" esse tipo de castigo de Deus, perdendo família, saúde e posses em tão pouco tempo. Próximo ao final do livro, Jó expõe uma defesa formal de sua inocência no caso.

As falas de Jó contêm expressões profundas de dor, desespero e indignação. Quase não contendo o sarcasmo, ele deixa transparecer protestos irados contra Deus, chegando mesmo bem próximo da blasfêmia. As primeiras palavras que consegue pôr para fora são: “Pereça o dia em que nasci, e a noite em que se disse: Foi concebido um homem!”.

Leia uma amostra de citações desse santo “paciente”:

> Até quando não apartará de mim a tua vista? Até quando não me deixarás a sós até mesmo por um instante? (7.19)
>
> Não são poucos os meus dias? Cessa, e deixa-me, para que por um pouco eu tome alento, antes que me vá para o lugar de onde não voltarei, para a terra da escuridão e da sombra da morte... (10.20,21)
>
> ... como o montanha se esboroa e se desfaz, e como a rocha se remove do seu lugar, como a água gasta as pedras, e as cheias arrebatam o pó da terra, assim destróis a esperança do homem (14.18,19).
>
> Na sua ira ele me despedaça e me persegue e range os dentes contra mim; o meu adversário aguça os olhos contra mim (16.9).
>
> Embora eu clame: Violência! Não sou ouvido; embora grite por socorro, não há justiça (19.7).
>
> Chamo a ti, ó Deus, mas não me respondes; ponho-me de pé, mas para mim não atentas. Tornas-te cruel para comigo; com a força da tua mão me atacas. [...] Contudo, aguardando eu o bem, me sobreveio o mal; esperando eu a luz, veio a escuridão. A agitação das minhas entranhas não cessa; os dias da aflição me sobrevêm (30.20,21,26,27).

Para Jó, na sua infelicidade, Deus parece um vilão que “consome ao reto e ao ímpio” (9.22) — a imagem inversa do conceito ensinado por Jesus de um Pai misericordioso, cujo sol brilha sobre justos e injustos. Como disse C. S. Lewis no seu diário de luto após a morte da esposa: “Não que eu esteja (penso eu) em grande perigo de deixar de crer em Deus. O verdadeiro perigo é começar a crer em coisas tão espantosas a respeito dele. A conclusão que eu temo não é ‘Bem, no final das contas não existe Deus mesmo’, mas ‘Bem, Deus é assim mesmo. Então, pare de se enganar'. "Será que Deus é um sádico cósmico?", perguntou Lewis com a franqueza típica dele, fazendo lembrar as dúvidas de Jó.

Nenhuma das quase blasfêmias escapa aos ouvidos de seus amigos. Elifaz retruca indignado: "Mas tu até destróis a reverência, e impedes a devoção de Deus" (15.4). Ele compara Jó a um homem mau que "estende a mão contra Deus, e contra o Todo-Poderoso se embravece" (15.25).

Mas a narrativa de Jó tem um toque irônico. Como diz Søren Kierkegaard: "O segredo do livro de Jó, a força vital, o ponto central, a idéia é que, apesar de tudo, Jó está certo".

Uma vitória magra

Apesar do estado de rancor e fúria em que Jó se encontra, no final ele triunfa. Deus conclui: "A minha ira se acendeu contra ti [Elifaz], e contra os teus dois amigos, porque não dissestes de mim o que era reto, como o meu servo Jó". Após as palavras iradas de Jó, como Deus poderia honrá-lo acima de seus amigos? Ou, reformulando a pergunta de forma bem contundente: Como Deus faz para ganhar a aposta em relação à fé do seu filho Jó?

Em primeiro lugar, vendo as coisas de forma geral, Jó não segue o conselho de sua mulher de "amaldiçoar a Deus e morrer". Ele questiona a justiça, a bondade e o amor de Deus, sentindo-se desesperado diante da própria vida, mas se nega a virar as costas para Deus. "Ainda que ele me mate, contudo nele esperarei", ele insiste desafiadoramente (13.15). Jó pode ter desistido da justiça divina, mas confiantemente se nega a desistir de Deus. Nos momentos mais inesperados de desespero, traz à tona raios brilhantes de esperança e fé.

Jó prefere viver com o torturante paradoxo de que Deus ainda o ama mesmo que toda a evidência aponte para o contrário. Os seus amigos lhe expuseram a lógica: *O sofrimento vem de Deus. Deus é justo. Portanto, você, Jó, é culpado.* Depois de examinar a sua vida e brincar com a teoria de um Deus injusto, Jó chega a uma fórmula diferente que, à primeira vista, não faz nenhum sentido: *O sofrimento vem de Deus. Deus é justo. Eu sou inocente.* Segundo o melhor da tradição hebraica, Jó agarra-se a essas três verdades, não importa quão contraditórias possam parecer.

Jó instintivamente acredita ter melhores chances apostando em Deus — não importa quão remoto ou mesmo sádico Deus lhe pareça no momento — do que abandonando toda e qualquer esperança. Ele mantém viva a visão de um universo pessoal. Num universo impessoal, com que padrão poderíamos julgar a dor pior do que o prazer, ou a vida feliz de Jó superior à sua tragédia? Jó se agarra firmemente à crença de que existe justiça e há um Deus pessoal, apesar da evidência monstruosa contra essa crença, porque as alternativas lhe parecem piores.

Além disso, o que Jó pede a Deus revela muito de seu caráter. (Eu sei o que eu teria exigido: "Tire a dor, Deus! Primeiro restaure a minha saúde e depois podemos ver que lição eu deveria aprender com esses infortúnios".) Jó tem outros pedidos. À medida que o desespero toma conta dele e ele sente a fé desvanecer, ele pede uma morte rápida. Por quê? "Isto ainda seria a minha consolação, a minha alegria na dor implacável de não ter negado as palavras do Santo" (6.10).

Quando a morte não vem e Jó sente que as suas orações são gritos sem esperança lançados no vazio, ele pede um mediador, "que ponha a mão sobre nós ambos". Os seus pedidos (9.33; 16.19-21) mais tarde vão ser cumpridos de forma marcante como profecias de Jesus, o mediador entre Deus e o homem, mas o próprio Jó não recebe nenhuma resposta no seu tempo. Para ele não há árbitro.

Finalmente, em completo desespero, Jó reduz as suas exigências a um só pedido, que mantém até o fim. Ele pede uma explicação do próprio Deus (13.3; 31.35). Ele quer uma audiência no tribunal, uma oportunidade para ouvir Deus se defender do que lhe parece uma descarada injustiça.

Esse último pedido deixa os amigos de Jó irados. Que direito tem ele, um ser humano insignificante, de pedir contas a Deus? Como é que um homem, "que é uma larva, e o filho do homem, que é um verme" (25.6), pode opor-se ao Deus do universo? Mark Twain calculou de forma cínica: "Eu poderia facilmente ferir um planeta jogando lama nele". Jó não retrocede. Até o final ele insiste no seu direito de questionar a Deus, de exigir uma explicação. E Deus honra esse pedido.

Viktor Frankl, sobrevivente de um campo de concentração nazista, concluiu que o pior desespero é sofrer sem sentido, e a experiência de Jó confirma isso. Ele exige a explicação de seu trauma, o sentido de seu sofrimento, e somente Deus pode dar a resposta.

Por fim Jó é aprovado no teste da fé por agarrar-se à crença em Deus, mesmo que ele não tenha evidências que fundamentem essa crença, e tenha até evidências em contrário. E ele insiste na sua própria dignidade humana, mesmo que ela esteja sendo assaltada de todos os lados. Poderíamos dizer que Jó foi "o primeiro protestante" — no sentido pleno da palavra. Ele assume a sua posição de fé individual em vez de ceder a dogmas religiosos, abrindo assim caminho para outros que vão segui-lo: o apóstolo Paulo desafiando o Sinédrio e Martinho Lutero posicionando-se contra a autoridade suprema da igreja. Jó nega-se a permitir que o dogma domine os seus direitos pessoais.

William Safire resumiu o legado de Jó no seu livro *The first dissident* [*O primeiro dissidente*]:

> Se o livro de Jó transpõe dois milênios e meio para ensinar algo a homens e mulheres que se consideram seres humanos normais, o que ensina é: os seres humanos com certeza caminham na ignorância e cometem erros, e é melhor — mais justo aos olhos de Deus — que reajam com questionamento do que com aceitação. Quando diante da injustiça inexplicável, é melhor ficar irados que resignados.

Safire conclui a respeito de Jó: "Comecei a minha jornada por esse livro com dúvidas na minha fé e termino com fé nas minhas dúvidas".

Deus aparece

Ironicamente, Deus entra na história com uma tempestade arrasadora bem na hora em que Eliú está explicando a razão pela qual o frágil

Jó não tem direito nenhum de pedir a intervenção divina. Gosto de imaginar essa cena como um desenho animado: duas figuras minúsculas discutem calorosamente sobre o que Deus vai fazer, quando um trovão — o próprio Deus — se abate com grande estrondo sobre os dois e os engole. Deus cala a todos tanto ao se manifestar quanto por aquilo que diz.

O discurso magnífico de Deus em Jó de 38 a 42 tem atraído sobremaneira a atenção principalmente de ambientalistas que citam o texto como exemplo do orgulho que o Criador sente pelo mundo natural. Também fico embevecido com as coisas maravilhosas da natureza — ostras, cabras monteses, asnos selvagens, crocodilos — e, mesmo assim, junto com minha admiração contemplativa vem um sentimento importuno de perplexidade. O discurso de Deus parece mais marcante por aquilo que ele *não* diz. Aliás, o discurso evita completamente o tema do sofrimento, o que é surpreendente depois de 35 capítulos tratando somente desse assunto. Por que Deus se esquiva dos assuntos que tem atormentado o pobre Jó?

A escolha de Deus remete aos capítulos 1 e 2, a origem do drama de Jó visto "nos bastidores". Jó e seus amigos têm discutido o sofrimento porque, presos nos "ingredientes" do drama, eles não conseguem ver outra coisa. Deus, é óbvio, sabe o tempo todo que a questão se liga ao desafio original feito a Jó e sua fé. Será que o ser humano vai confiar num Deus invisível e soberano, mesmo que tudo em volta esteja negando essa confiança?

Deus não esclarece Jó a respeito da batalha cósmica em que ele foi inadvertidamente envolvido, porque permitir que Jó enxergasse os bastidores significaria mudar as regras da competição que ainda estava em andamento. Deus tampouco demonstra o menor sinal de compaixão pelo estado físico e emocional de Jó. Ao contrário, Deus vira a mesa diante de Jó, entrando em cena violentamente —

> Quem é este que escurece o meu conselho com palavras sem conhecimento? Agora cinge os teus lombos, como homem; perguntar-te-ei, e tu me responderás (38.2,3)

— e prosseguindo daí a ponto de puxar o tapete de Jó. Em outras palavras, Deus abruptamente faz Jó voltar ao banco dos réus.

A mensagem de Deus, expressa em linda poesia, se resume em algo assim: Enquanto você entender tão pouco sobre o funcionamento do universo físico, Jó, não venha querer me dizer como fazer o universo moral funcionar. Ao descrever as maravilhas da natureza, demonstrando predileção pelo aspecto selvagem, Deus dá algumas pistas sobre as limitações inerentes às leis da natureza e sobre a sua preferência por não intervir. Deus critica Jó por somente uma coisa, sua visão limitada. Jó fundamentou seu julgamento em evidência incompleta — algo que nós da "platéia" percebemos desde o início. Para corrigir essa concepção errônea das coisas, Deus faz Jó expandir a visão, levando-o a olhar para todo o universo, e não somente para a situação de desgraça.

Algo me diz que Deus poderia ter lido uma página da lista telefônica e Jó teria concordado mansamente. As suas dúvidas se derreteram diante da revelação do poder e da glória de Deus. "Certamente falei do que não entendia, coisas maravilhosas demais para mim, e que eu não compreendia" (42.3), Jó diz. E assim arrependido, ao reconciliar-se com Deus, finalmente se resolve a tensão do capítulo 1.

A disputa dizia respeito à fé na vida de Jó: Será que o homem continuará firme em sua fé quando não lhe restar mais nenhum motivo de interesse próprio para isso? "Toca-lhe em tudo o que tem, e ele certamente blasfemará de ti na tua face!", Satanás apostou. E perdeu. O caráter de Jó mantém-se intacto.

Após ter dado a sua aula, Deus cobre Jó de recompensas, tornando-o duas vezes mais próspero do que antes — uma solução que até se ajusta à idéia errônea que os amigos de Jó têm sobre a justiça divina. Sofrimento? Deus conserta isso facilmente. Mais camelos e bois? Sem problema. Muitas pessoas gostam de ficar só nos relatos positivos da fortuna restaurada de Jó, enfatizando que ele passou um período de tribulação antes de receber a recompensa. Mas a linha geral do livro convence de que a fé, e não a recompensa, é o tema central de Jó. Digo isso com cuidado, mas da perspectiva de Deus a prosperidade material de Jó e mesmo sua saúde empalidecem quanto à importância diante das questões cósmicas em jogo.

Dias como os de Jó

Em virtude da perspectiva singular apresentada nos capítulos 1 e 2, a saga de Jó elucida muito mais do que o julgamento ampliado de um homem triste e velho. Comecei este capítulo dizendo que antigamente pensava saber de que tratava o livro de Jó: o problema do sofrimento. Agora percebo que o que muitos leitores fazem com o livro de Jó é um paradigma do que fazemos com a vida em geral. Tomamos uma história que trata da batalha da fé e das provações e a transformamos numa história sobre sofrimento.

Na base, Jó enfrentou uma crise de fé, não de sofrimento. Conosco também é assim. Todos nós, em algum ponto da vida, deparamos com uma situação como a de Jó. Talvez não enfrentemos as desgraças que se abateram sobre Jó, mas um acidente trágico, uma doença terminal ou a perda do emprego podem nos fazer balançar a cabeça e perguntar: "Por que eu? O que Deus tem contra mim? Por que Deus parece tão distante?".

Em momentos assim, facilmente conseguimos a atenção para as circunstâncias — doença, nossa aparência, pobreza, azar — como se fossem o inimigo. Oramos pedindo a Deus que mude as circunstâncias. Ah, se eu fosse bonita ou elegante, pensamos, tudo daria certo. Ah, se eu tivesse mais dinheiro, ou pelo menos um bom emprego; se os meus desejos sexuais mudassem, ou pelo menos diminuíssem — aí eu poderia crer em Deus facilmente. Contudo, Jó ensina que nos momentos em que a fé parece impossível é exatamente quando mais precisamos dela.

Quando a tragédia se abater sobre nós, também estaremos presos a uma visão limitada. Como Jó, também seremos tentados a culpar Deus e a vê-lo como inimigo. Jó perguntou de forma pungente: "Parece-te bem que me oprimas, que rejeites o trabalho das tuas mãos e favoreças o conselho dos ímpios?" (10.3). A olhadela por trás das cortinas nos capítulos 1 e 2 revela que Jó estava sendo exaltado, não desprezado. Deus estava permitindo que a reputação divina ficasse à mercê da reação de um único ser humano. Nos momentos em que Jó se sentia mais abandonado, exatamente aí Deus estava lhe proporcionando um olhar perscrutador, quase microscópico. Deus parecia ausente; em certo sentido Deus nunca tinha estado tão próximo.

Hesito em escrever isso porque é uma verdade dura, algo que não gosto de reconhecer: Jó me convence de que Deus se importa mais com a nossa fé do que com o nosso prazer. Essa afirmação não combina com a imagem açucarada, apresentada muitas vezes pelos cristãos. Eu talvez não teria chegado a essa conclusão se fosse só por Jó, mas pense nas provações que algumas das pessoas prediletas de Deus sofreram.

Numa mensagem a Ezequiel (14.14), Deus inclui Jó numa lista de três gigantes da justiça. Os outros dois mencionados ali, Noé e Daniel, aprenderam o que era fé em meio a um dilúvio de grandes proporções e numa cova de leões. Abraão passou por um teste de fé no mínimo tão difícil quanto o de Jó: ele foi chamado (assim ele pensava) a cometer a tragédia — ele mesmo — de sacrificar o filho por quem tinha esperado tantas décadas. E Davi? Basta ler o salmo 22 para descobrir sua experiência com o silêncio de Deus. Um comentário de Deuteronômio a respeito dos israelitas no deserto define o padrão bíblico: "Lembrar-te-ás de todo o caminho pelo qual o Senhor teu Deus te guiou no deserto estes quarenta anos, para te humilhar e te provar, para saber o que estava no teu coração, se guardarias ou não os seus mandamentos" (8.2).

Søren Kierkegaard, que teve uma vida de tormentos interiores semelhante à de Jó, concluiu, no final, que a fé mais pura, refinada como o ouro, brota exatamente desse estado paradoxal ou da suspensão do que poderíamos contar como certo da parte de Deus. Ele mantinha o livro de Jó na cama de noite como uma criança que põe o livro escolar debaixo do travesseiro para se assegurar de que não terá esquecido a lição quando acordar pela manhã. Para ele, pessoas como Jó e Abraão brilhavam como grandes cavaleiros da fé. Em meio às suas provações traumáticas de fé, alcançaram níveis de fidelidade inatingíveis de outra maneira. Como disse Kierkegaard: "Com a ajuda do espinho no meu pé, pulo mais alto do que qualquer pessoa com os pés saudáveis".

Até o Filho de Deus na terra teve a sensação de ser abandonado pelo Pai. De forma semelhante aos israelitas no deserto, Jesus passou por um teste que consistia em ser provado "para saber o que havia em seu coração". Mais tarde, numa provação muito mais severa, Jesus gritou na cruz (citando o salmo 22): "Meu Deus, por que me desamparaste?". Como Jó, continuava a confiar em Deus apesar do sentimento de ter sido abandonado por ele: "Nas tuas mãos entrego o meu Espírito". Para ele também aconteceu que, no momento em que Deus mais parecia ausente, foi aí que estava mais próximo. Paulo afirma que na cruz "Deus estava em Cristo reconciliando consigo o mundo".

Assuntos cósmicos

Por que será que Deus permite e até estimula esses testes de fé? Será que Deus realmente se importa com o fato de alguém aceitá-lo ou rejeitá-lo? Eliú, o último e mais misterioso consolador de Jó, zombou da simples idéia de Deus estar-se importando com o destino de Jó. Ele riu-se de Jó:

> Se pecas, que efetuas contra ele? Se os teus pecados são muitos, que lhe fazes? Se és justo, que lhe dás, ou que recebe ele das tuas mãos? A tua impiedade fará mal apenas a outro homem como tu, e a tua justiça só aproveitará aos filhos dos homens (35.6-8).

Os capítulos introdutórios de Jó, no entanto, revelam que Deus apostou muito na iniqüidade ou na retidão de um homem. O fato é que a fidelidade da pessoa — e o livro de certa forma só aponta para isso sem explicar — faz toda a diferença. Essa, para mim, é a mensagem mais rigorosa e duradoura do livro de Jó.

Da mesma maneira que Jó, também vivemos na ignorância do que acontece "nos bastidores". Jó faz lembrar que a breve história da humanidade nesta terra — e, diga-se de passagem, a minha breve história de fé — acontece no amplo drama da história do universo. Somos soldados rasos numa batalha espiritual de relevância cósmica. Nas palavras de C. S. Lewis, "Não há terreno neutro no universo: cada centímetro quadrado, cada décimo de segundo é reivindicado por Deus e por Satanás".

Para Jó, o campo de batalha da fé envolvia a perda de posses, de membros da família e a perda da saúde. Talvez estejamos enfrentando uma batalha diferente: insucessos na carreira, um casamento em ruínas, inclinações sexuais, um rosto ou outra característica física que afasta as pessoas em vez de atraí-las. Talvez as nossas provações também não sejam conseqüência de uma competição cósmica travada no céu. Mesmo assim, a mensagem desse livro exige aquela fé firme e bem definida que crê, mesmo em condições de inferioridade, que a reação de uma pessoa de fato faz diferença.

Jó apresenta a verdade chocante de que as nossas escolhas de fé fazem diferença não só para nós e para o nosso destino, mas também — e isso é incrível — para o próprio Deus. Elifaz ridicularizou Jó: "Pode o homem ser de algum proveito a Deus? [...] Ou tem o Todo-poderoso [...] lucro algum em que tu faças perfeitos os teus caminhos?" (22.2,3). No final, talvez Elifaz tenha refletido sobre essas palavras, uma vez que ofereceu sacrifícios pela mediação de Jó e pediu perdão. A fé de Jó conquistou para Deus uma grande vitória sobre Satanás, que tinha posto em xeque todo o experimento chamado "raça humana".

Parte da história do universo está em jogo no embate de Jó e ainda está em jogo na forma que reagimos diante das situações da vida. A Bíblia oferece pistas, somente pistas, quanto ao mistério por trás dessa verdade:

- Jesus, em Lucas 10, enquanto seus seguidores estavam a caminho, anunciando o reino de Deus, faz a seguinte afirmação: "Eu vi Satanás, como raio, cair do céu".
- Há um sussurro intrigante em Romanos 8, segundo o qual seremos agentes na redenção da natureza. "A ardente expectativa da criação aguarda a revelação dos filhos de Deus" (8.19). Ou, como parafraseia Clarence Jordan: "O sonho mais precioso do universo é captar um pouco da vida de verdadeiros filhos de Deus".
- Esta frase de Efésios: "...para que agora, pela igreja, a multiforme sabedoria de Deus seja conhecida dos principados e potestades nas regiões celestes" (3.10).

- Uma frase arrasadora do apóstolo Pedro fala de coisas para as quais "até os anjos desejam atentar" (1Pe 1.12).

Essas pistas disfarçadas reforçam a mensagem central de Jó: a forma de reagirmos *importa*. Ao agarrar-se firmemente a um finíssimo fio de fé, Jó conquistou uma vitória decisiva no nobre plano de Deus de redimir a Terra. Em sua graça, Deus deu a dignidade de participar da redenção do cosmo a pessoas comuns como nós. Ele está permitindo que nós, por meio de nossa obediência a ele, ajudemos a reverter a dor e as injustiças desse mundo que Jó expôs de forma tão eloqüente. Podemos até dizer que Deus concorda com as queixas de Jó contra o mundo caído; o plano de Deus de reverter a Queda depende da fé dos que o seguem.

Em nossas lutas mundanas e pessoais atuamos como soldados nessa campanha. Em *The will to believe* [*A vontade de crer*], William James expressou isso da seguinte forma: "A nossa vida presente *parece* ser uma batalha verdadeira — como se existisse algo realmente desordenado no universo que nós, com todos os nossos idealismos e fidelidades, somos chamados a redimir".

Mencionei que Jó representa um passo além da "fé de contrato" com recompensas e castigos pressuposta pelos israelitas. O Novo Testamento ainda dá um passo adiante: seus autores parecem *contar com* o sofrimento como algo natural no percurso. "... porque também Cristo padeceu por vós, deixando-vos o exemplo, para que sigais as suas pisadas" (1Pe 2.21). Pedro e dez dos outros discípulos de Jesus sofreram a morte de mártires — que não é bem o "final feliz" sugerido no livro de Jó. É evidente que algo mudou na expectativa dos fiéis a respeito do sofrimento, e essa mudança estava centrada na cruz em que Jesus morreu.

Outras passagens exploram esse mistério, usando expressões que não vou tentar explicar. Paulo fala em "padecermos com ele [Cristo]" e diz que espera completar "na minha carne o resto das aflições de Cristo". Tomadas no contexto, essas passagens mostram que o sofrimento pode ganhar significado se o considerarmos parte da "cruz" que tomamos ao seguir a Jesus. Tornamo-nos co-participantes de Cristo na batalha para expulsar o mal deste planeta, e assim ajudamos a cumprir o propósito redentor de Deus no mundo.

Nunca vamos saber nesta vida o significado completo das nossas ações aqui, pois, como demonstra Jó, muito do que acontece é invisível para nós. A cruz de Jesus também oferece um padrão para isso: o que parecia muito comum, mais um triste ato de "justiça" colonialista num posto avançado romano, tornou possível a salvação do mundo todo.

De forma exagerada, Jó afirma o mistério de que, seja qual for a razão, Deus deu a seres humanos individuais um papel importante na reforma desse planeta arruinado. Quando um pastor vai à prisão por seu protesto pacífico contra a injustiça, quando um assistente social entra num gueto urbano para reconstruir uma comunidade a partir de sua base, quando um casal decide não desistir de um casamento difícil, quando os pais esperam com esperança e perdão um filho alienado e perdido, quando um filho ou filha decide cuidar do pai ou da mãe com doença terminal em vez de considerar a eutanásia, quando um jovem executivo resiste à tentação crescente de riqueza e sucesso — em todos esses sofrimentos, grandes e pequenos, há a certeza de um nível mais profundo de significado, de compartilhar da vitória redentora de Cristo. "A ardente expectativa da criação aguarda a revelação dos filhos de Deus" (Rm 8.19).

Ninguém experimentou a dor e a injustiça deste mundo melhor do que Jó. Contudo, por trás dessas palavras de desespero, brilha uma intrigante verdade: podemos engajar-nos, como Jó, por meio da obediência, na batalha para reverter esse sofrimento. Jó pinta o drama da fé na sua forma mais dura: o melhor homem da terra passando pelo pior sofrimento, sem sinal algum de encorajamento ou consolo da parte de Deus. O fato de que Jó continuou a confiar em Deus, contra todas as probabilidades, foi significativo — para ele, para nós e para Deus. No seu discurso, Deus descreveu as maravilhas da criação, mas a maravilha da criação que mais impressionava a Deus era o próprio Jó — por isso esse livro está na Bíblia.

Milhares de anos mais tarde, os questionamentos de Jó não se dissiparam. Há ainda sofredores fazendo suas as palavras de Jó ao tentar clamar contra a aparente falta de interesse de Deus. O livro de Jó reafirma que Deus não está com os ouvidos fechados aos nossos clamores e está no controle deste mundo, não importam as aparências. Deus não respondeu a todas as questões de Jó, mas a simples presença de Deus fez com que as suas dúvidas desaparecessem. Jó descobriu que Deus se importava com ele de forma íntima, e governa o mundo. Isso parecia bastar.

P. S.

Jó e os enigmas do sofrimento

"Mas ao aflito livra no seu sofrimento; na sua aflição se revela aos seus ouvidos" (Jó 36.15).

Como já disse, Jó apresenta mais perguntas que respostas sobre o sofrimento. Mesmo que a conclusão do livro com a aparição dramática de Deus em pessoa pareça perfeitamente preparada para um monólogo esclarecedor, Deus evita a questão. E, para complicar o assunto, Deus franze a testa e rejeita as várias teorias — bem-elaboradas e aparentemente bem fundadas — dos amigos de Jó a respeito do sofrimento.

O livro de Jó, relato impressionante de coisas muito ruins que ocorrem a um homem muito bom, não tem, portanto, nenhuma teoria embutida sobre o tema "Por que pessoas boas sofrem?". Mesmo assim, oferece uma série de idéias que ajudam a discernir as questões relacionadas ao problema do sofrimento. O estudo que empreendi levou-me às conclusões que se seguem. Apesar de não responderem ao problema do sofrimento — algo que nem Deus tentou — esses princípios talvez lancem luz sobre concepções errôneas tão disseminadas hoje quanto nos tempos de Jó.

1. Os capítulos 1 e 2 fazem um esclarecimento sutil, mas importante, de que não foi Deus quem causou os problemas de Jó. Ele os permitiu, mas quem de fato os causou foi Satanás.

2. Em nenhum lugar o livro de Jó faz supor que faltem poder ou bondade a Deus. Algumas pessoas (entre elas o rabino Kushner no seu *best-seller Quando coisas ruins acontecem a pessoas boas*) dizem

que um Deus fraco não tem o poder de evitar o sofrimento humano. Outros pressupõem, na linha da teologia deísta, que Deus controla o mundo à distância, sem tomar parte em nada. Em contrapartida, o livro de Jó não questiona o poder de Deus — somente a sua justiça. E, no discurso/resumo final, Deus usa ilustrações magníficas da natureza para demonstrar seu poder.

3. Jó rejeita de forma decisiva a teoria segundo a qual o sofrimento sempre resulta de pecado. A Bíblia dá base para a teoria geral de que: "o que o homem semear, isso também ceifará", até mesmo já nesta vida. Porém, as outras pessoas não têm o direito de aplicar esse princípio geral a uma pessoa específica. Os amigos de Jó argumentavam de forma persuasiva que Jó merecia esse castigo catastrófico. Quando Deus pronunciou o veredicto final, no entanto, ele lhes disse: "...não dissestes de mim o que era reto, como o meu servo Jó" (42.7). Mais tarde, Jesus também se pronunciaria contra a crença de que o sofrimento automaticamente implica a existência de pecado (v. Jo 9.1-5 e Lc 13.1-5).

4. Os amigos de Jó não tinham uma concepção claramente formada a respeito da vida após a morte, e por isso pressupunham, de forma errônea, que a justiça de Deus — a sua aprovação ou desaprovação de pessoas — tinha de ser demonstrada somente nesta vida. Outras passagens da Bíblia dizem que Deus administrará justiça após a morte.

O prazer que Jó teve na sua velhice é apenas um prenúncio do que está por vir. O autor de Jó 42 incluiu um detalhe marcante. Todas as posses materiais de Jó são restituídas em dobro na sua velhice. Antes tinha 7 mil ovelhas, 3 mil camelos, 500 juntas de bois e 500 jumentas; agora possui 14 mil ovelhas, 6 mil camelos, mil juntas de bois e mil jumentas. O que é significativo, no entanto, é que a sua família não é dobrada. O pai de sete filhos e três filhas torna-se pai de sete novos filhos e três novas filhas — não catorze filhos e seis filhas. Até no meio do Antigo Testamento, que na melhor das hipóteses tem uma concepção um tanto nebulosa da vida após a morte, o livro de Jó indica claramente que um dia ele vai receber a sua família de volta. Os dez filhos que ele perdeu de forma tão trágica lhe serão restituídos para viver na eternidade gloriosa num mundo redimido e recriado.

5. Deus não condenou a dúvida e o desespero de Jó, mas somente a sua ignorância. A expressão "paciência de Jó" dificilmente combina com a torrente de críticas que transborda de sua boca. Jó não aceitou a dor de forma passiva; ele gritou em protesto a Deus. Suas afirmações fortes escandalizaram seus amigos, mas não a Deus. Será que, de alguma forma, precisamos nos preocupar em não insultar a Deus com uma explosão causada por pressão ou dor? De acordo com esse livro, não. Num toque de suprema ironia, Deus ordenou aos amigos de Jó que buscassem o arrependimento com o próprio Jó, objeto do piedoso desdém deles.

6. Ninguém tem domínio sobre todos os fatos relativos ao sofrimento. Jó concluiu que ele era reto e que Deus estava sendo injusto. Seus amigos insistiam no contrário: Deus era reto e Jó estava sendo corretamente castigado. No final das contas, todos perceberam que tinham analisado a situação de uma perspectiva limitada, cegos diante da verdadeira batalha que estava sendo travada no céu.

7. Deus nunca está totalmente calado. Eliú demonstrou esse aspecto de forma convincente, ao lembrar Jó de sonhos, visões, bênçãos recebidas e até as obras diárias de Deus na natureza (v. cap. 33). Deus também recorreu à natureza como evidência de sua sabedoria e de seu poder. Mesmo que Deus pareça estar calado, algum sinal dele pode ser percebido. O escritor Joseph Baily expressa bem a verdade quando diz: "Lembre-se na escuridão do que você aprendeu quando estava na luz".

8. Conselhos bem-intencionados às vezes podem fazer mais mal do que bem. O comportamento dos amigos de Jó dá um exemplo clássico de como o orgulho e a sensação de estar certo podem reprimir a verdadeira compaixão. Os amigos repetiam frases muito espirituais e discutiam teologia com Jó, insistindo nas suas teorias erradas sobre o sofrimento (crenças que existem em abundância ainda hoje). A resposta de Jó é: "Oxalá vos calásseis de todo: Isso seria a vossa sabedoria." (13.5). Descobrimos que o maior sinal de compaixão que os amigos de Jó deram foi quando, no início, sentaram-se com ele em silêncio por sete dias.

9. Deus transferiu o foco central da *causa* do sofrimento de Jó para a *reação* de Jó. É intrigante, mas Deus nunca deu uma explicação para o problema do sofrimento, nem informou a Jó da com-

petição relatada nos capítulos 1 e 2. A real questão em jogo era a fé de Jó: Será que ele continuaria a confiar em Deus mesmo que tudo desse errado? Instintivamente temos a tendência de concentrar a atenção no "por quê?"; Deus parece mais interessado em "qual o propósito?". Depois que o sofrimento chega, por pior que seja, será que de alguma forma pode ser usado para o bem?

10. O sofrimento, nos planos de Deus, pode ser redimido, ou servir a um fim mais elevado. No caso de Jó, um período de esforço incomum foi usado por Deus para ganhar uma vitória importante, até mesmo cósmica. Ao olharmos para trás — mas somente olhando para trás — podemos ver a "vantagem" que Jó teve em continuar confiando em Deus. Por meio do seu sofrimento imerecido, o justo Jó foi um "reflexo por antecipação" de Jesus Cristo, que teria uma vida perfeita e mesmo assim sofreria a dor e a morte para conquistar uma grande vitória.

três

Deuteronômio: Um sabor agridoce

TRÊS

Deuteronômio: Um sabor agridoce

Há duas tragédias na vida. Uma é não realizar o desejo do coração. A outra é realizá-lo.

— George Bernard Shaw

Quando o comunismo ruiu em 1989, países pequenos da Europa Oriental e da Ásia Central de repente se viram livres da longa sombra da União Soviética. Ninguém mais lhes dava ordens. Ninguém impunha políticas. Por si sós, agora, tinham de aprender a fazer a sua bandeira, treinar um exército, administrar as relações exteriores, resolver disputas de fronteira — em resumo, conduzir um país. O sucesso ou o fracasso de cada nação dependia do tipo de líder que emergiria após o fim da Guerra Fria.

A Tchecoslováquia, por instinto, se voltou para Václav Havel, dramaturgo que tinha passado anos na prisão como dissidente político. Apesar de não ter experiência alguma e pouco interesse em política, ele aceitou a tarefa assustadora de formar um país novo e livre. Para se relacionar com o seu povo, ele iniciou um hábito que se tornou uma tradição: toda semana ele aparecia na TV para responder a perguntas de pessoas que quisessem telefonar para o programa. Ele explicava a forma com que o novo governo agiria, revia o orçamento, falava sobre leis novas que parecessem controvertidas, ensinava a respeito de moral e responsabilidade. Às vezes pregador, líder de torcida, outras vezes historiador e técnico, esse dramaturgo e intelectual tornou-se um astro da mídia, apesar das condições pouco promissoras, dirigindo um dos shows de maior popularidade do país. Por meio de simples eloqüência e da força de sua personalidade, Havel conduziu o povo tcheco ao longo de uma ruptura dolorida com a Eslováquia e os preparou para uma vida de nação independente. Era como, dizia ele, conduzir um bando desordenado de crianças ao estágio de se comportarem como adultos.

Em resumo, essa é a situação que Moisés enfrentou já próximo ao fim de sua vida. Sendo um líder relutante e tendo gastado quarenta anos pastoreando ovelhas no deserto, foi chamado abruptamente por Deus para conduzir os hebreus para a sua emancipação e libertação do império mais poderoso do mundo. Moisés fez isso e mais: conduziu com agrados e lisonjas os ex-escravos ao longo de quatro décadas de imaturidade no deserto do Sinai. Agora, antes da morte de Moisés, os hebreus estavam no limiar da terra prometida, ansiosos por tomar as rédeas da nação.

Moisés tinha só mais uma oportunidade de comunicar a eles a memória histórica, de se livrar dos ressentimentos e do sofrimento, de transferir a eles a esperança e a determinação de que tanto necessitariam na sua ausência. Para o seu povo ele não representava somente um grande desbravador, como Václav Havel; ele era o Libertador — Simón Bolívar, Nelson Mandela, Mahatma Gandi e George Washington, todos comprimidos num corpo velho e fraco.

"Se os diversos autores da Bíblia fossem compositores, o deuteronomista seria Bach na sua mais perfeita e majestosa confiança", escreveu Jack Miles. Deuteronômio é o último dos cinco "livros de Moisés", o magnífico resumo, a primeira oratória bem desenvolvida da Bíblia e o registro das palavras finais de Moisés ao seu povo, Israel. Em quarenta anos de tortura, um pastor de ovelhas gago, resistente à liderança e perseguido pelas lembranças do seu crime passional torna-se um dos gigantes da história, com realizações que mudaram o planeta para sempre. Deuteronômio apresenta o relato do próprio Moisés sobre essa transformação formidável.

O velho homem fecha bem o manto e treme, apesar do calor do deserto. Com a ajuda dos auxiliares, sobe na maior pedra que encontra. Diante dele, espalhados até a linha do horizonte, estão os israelitas. Ele espera um pouco até diminuir o aplauso do povo. Os olhos se fixam em alguns rostos anônimos. Tão jovens, tão inocentes. Nenhum deles tem uma única lembrança das glórias do Egito, aquela terra fabulosa com suas pirâmides, palácios e carruagens. Esses filhos do deserto só conhecem os rigores do Sinai: escorpiões, víboras, calor ardente, noites frias, tempestades de areia, a busca interminável por água.

Ninguém dentre os pais sobreviveu, a não ser dois. O restante provou que não prestava. Ele os conduzira para fora do Egito para depois descobrir que tinham trazido o Egito no coração. Agora está diante dos jovens e ansiosos descendentes daqueles que saíram do Egito, uma nação intacta, mas com todas as células individuais repostas. Crianças, é isso que são, meras crianças. Ele daria tudo para conduzi-los para o outro lado do rio, até a terra que ele tem exaltado por quarenta anos. Ele suspira; mais parece um gemido. Mas não é isso que vai acontecer, ele sabe. Em vez disso, ele vai morrer aqui, talvez ainda hoje. Logo eles estarão sós, essa geração do deserto. Eles os reuniu para se despedir.

Como num enxame de abelhas, a multidão está zumbindo sua energia. Moisés não vê essa vibração desde o dia em que os seus pais saíram do Egito carregados do ouro dos faraós. Mas o sorriso lhes durou pouco no rosto. Quanto será que vai durar no rosto desses seus filhos? Como ele bem sabe, todos ouviram histórias de seus pais — os mesmos que resmungaram, reclamaram e se rebelaram abertamente contra a liderança dele. Essa é a última oportunidade de limpar a ficha, de apagar a culpa e recuperar o crédito, de passar a história não só para esses filhos, mas para todos os que virão depois deles, para a posteridade.

Os olhos de Moisés, cobertos por cataratas, estão da cor de leite coalhado. Os oitenta anos no deserto entalharam rugas enormes na sua face. Ele quase não ouve; os sons da multidão se fundem num grande zunido. Josué e Calebe, seus confiáveis auxiliares, acalmaram a multidão e estão fazendo sinal para ele começar. Eles providenciaram "repetidores" do que ele vai dizer, para que suas palavras possam ser ouvidas por todos. "Fale devagar", eles aconselham. "Não se apresse." Mas, quando ele começa a falar, a voz falha e ele começa a gaguejar de novo.

Moisés é a pessoa mais velha que os israelitas conhecem, a única pessoa realmente antiga entre eles, com quase o dobro da idade de Josué e Calebe. Com o cabelo cor de neve e a longa barba, parece mais uma criatura mitológica do que um homem. Ele dominou a vida de todos eles desde o nascimento. Eles ouviram como ele tinha passado pela guarda no grande palácio de Faraó, surpreendendo o governante que na infância tinha sido seu amigo de brincadeiras. As pragas, tão traumáticas na época, ao longo dos anos se tornaram motivo de piadas: rãs saltando pela cozinha, enxames de moscas e mosquitos caindo sobre os soldados e os capatazes, tumores e úlceras forçando os magos egípcios a rolar nus na areia para buscar alívio. Moisés dirigira todas essas cenas.

Os seus pais costumavam falar saudosos das palmeiras, das casas empilhadas umas sobre as outras, tão altas que tapavam o sol, das ruas cheias de carruagens, carros puxados por jumentos e longas caravanas de camelos. Essa multidão que está aí não tem lembrança nenhuma dessas coisas. Tem só a esperança de um novo começo, uma nação em que todos serão senhores e não escravos, uma terra não desidratada, mas repleta de pastos e colheitas, uma terra que possam chamar sua.

A vida de Moisés tinha um só tema: "Foi Deus quem fez". Quantas vezes sua mãe não teria contado e repetido a história do milagre da sua sobrevivência durante a campanha empreendida por Faraó para exterminar os bebês hebreus. "Deus salvou você, Moisés", ela lhe dizia repetidas vezes, "ele tem um plano muito especial para você". Ela ria com o orgulho característico das mães quando o fazia lembrar de como Deus proporcionara a ela, a mãe natural, uma pensão real para amamentá-lo. Enquanto isso ele brincava nos pátios de Faraó, recebia uma formação educacional extraordinária e jantava com a elite do império.

Conhecendo secretamente a sua verdadeira identidade, Moisés se sentia como uma pessoa sem pátria. Quando outros príncipes egípcios contavam piadas provocantes a respeito dos escravos hebreus, ele mordia a língua. Quando seu próprio povo, os hebreus, caçoavam dele por causa de seu jeito "esnobe" e do sotaque palaciano, ele mordia a língua de novo. Ele amava as duas famílias, a de nascimento e a adotiva. Ele nunca se cansava daqueles jantares de camponeses, em família, seguidos das histórias que os idosos contavam sobre Abraão, Isaque e Jacó, e sobre o Deus que eles ainda adoravam, apesar de parecer que tivesse adormecido por mais de dez gerações. Moisés gostava especialmente da história de José. "Você poderia ser um novo José", a sua mãe lhe disse certa noite ao se despedir dele com um beijo. "Você também está no palácio de Faraó. Talvez Deus o use para ajudar a nos salvar."

Não obstante, ele não conseguia imaginar a vida sem a instrução que estava recebendo todos os dias entre os estudantes mais inteligentes do império. Ele gostava das competições esportivas, das festas, do vinho e das mulheres bonitas e perfumadas que lhe ensinavam a arte e a música. Como um espião, ele conseguia equilibrar bem esses dois mundos, mantendo-os em compartimentos separados e selados, desenvolvendo-se nos dois — até que um dia os dois colidiram e ele teve de optar por um deles.

Na época parecia uma simples questão de justiça. Dignamente vestido como um príncipe egípcio, com capacete e fivela de ouro distinguindo-o como integrante da família real, ele visitou um canteiro de obras de Faraó. Aí ele viu um capataz egípcio batendo cruelmente num hebreu, um compatriota de Moisés. Ele deu um empurrão no tirano, acabou com ele e o enterrou na areia; depois continuou seu caminho como se nada tivesse acontecido. Mas outros tinham visto o acontecido, e agora a situação fugira do controle.

Naquele dia, no canteiro de obras, Moisés descobriu de que lado na verdade ele estava. Os egípcios usavam o termo *hapiru* para se referir de forma pejorativa aos hebreus: "os cheios de pó". Se um egípcio morre, é claro que alguém tem de pagar por isso. Mas se um dos *hapirus* morre, quem se importa? Eu me importo, foi a firme resolução de Moisés. Eles são escravos, é verdade, mas são meus compatriotas. Ninguém merece esse tipo de tratamento.

Para Faraó, Moisés tinha cruzado a linha e tinha sido pego do lado errado. Não toleraria insurreições. Pois afinal tinha sido ele quem ordenara o infanticídio contra a tribo de Moisés. Faraó decretou uma sentença de morte contra o príncipe impostor chamado Moisés.

Moisés, o fugitivo, deixou o Egito e por quarenta anos não teve contato algum com nenhuma de suas duas famílias. Começava uma vida nova que surpreendentemente combinava com ele, a vida solitária de um nômade. Ele ganhou uma esposa, uma família ampliada e todo um preparo que antes não tinha para poder sobreviver no deserto. Por prudência Moisés não disse quase nada sobre o seu passado a ninguém; e não tinha mesmo motivos para dar essa satisfação.

Ninguém em Midiã se importava com os hebreus, nem com os egípcios. Seu mundo se encolheu aos poucos até chegar à esfera da tranqüilidade doméstica; e, quando chegou à idade avançada de oitenta anos, ocupava-se principalmente dos filhos, dos parentes de sua mulher e de suas ovelhas.

Deus, no entanto, tinha outros planos. Enquanto Moisés construía uma nova vida em Midiã, longe dos escravos hebreus, Deus voltou a atenção aos gemidos deles. De repente a obra demorada e misteriosa de Deus, que não é limitado ao tempo, tornou-se o centro da história, revelando que nada da vida agitada de Moisés tinha sido tempo perdido. Deus agora tinha um hebreu de pura linhagem, magistralmente instruído quanto às técnicas de liderança dos egípcios, totalmente capaz de sobreviver no deserto. O tempo de libertar o povo de Deus tinha chegado. Agora é tempo de convencer Moisés. E Faraó.

Moisés apresentou objeções gigantescas aos planos de Deus. Primeiro, tinha a questão da sua confiabilidade. Por que os hebreus confiariam em alguém treinado pelo inimigo, ainda mais um fugitivo que abandonou o país por quarenta anos? Além disso, tanto os hebreus quanto Faraó necessitariam de um líder que soubesse se expressar bem para levá-los à ação — por que então escolher um gago? "Ó Senhor, mande outro, por favor", Moisés pediu. Algumas palavras saídas do interior de uma sarça ardente calaram Moisés. Agora, convencer Faraó seria outra história.

Foi assim que um pastor de ovelhas hesitante e reservado se tornou o primeiro intermediário escolhido por Deus para falar ao seu povo, e também a primeira pessoa que a Bíblia apresenta realizando milagres. Entretanto, os temores iniciais de Moisés se confirmaram. Depois que uma sanção egípcia severa dobrou a carga de trabalho dos hebreus, eles abandonaram Moisés e seu irmão, Arão. Os israelitas teriam de acreditar que um Deus ausente quatrocentos anos de repente decidiu enfrentar Faraó e o seu exército? Continue sonhando!

Moisés nem mesmo teve o apoio do seu povo ao subir a imponente escadaria de pedra que dava acesso ao palácio de Faraó, cujos ornamentos de ouro brilhavam sob o sol do deserto. Ele olhou ao redor. Faraó tinha quase concluído seu grande projeto de construção. Uma cidade de calcário branco, mais brilhante que o sol, tinha se erguido ao redor dos prédios sem graça que ele tinha conhecido quando menino.

Os hieróglifos inscritos nas paredes de pedra relatavam tudo. Mesmo sem ter usado sua primeira língua fazia quarenta anos, as palavras lhe inundaram a mente quando se deteve nos registros das conquistas militares de Faraó. Ele sentiu a dor de uma punhalada quando reconheceu o símbolo egípcio para estrangeiro: um homem atado e com sangue escorrendo de uma ferida na cabeça. O deserto de Midiã tinha tirado dele toda a nostalgia pelo luxo do palácio. Banquetes suntuosos, cerimônias rituais, roupa pomposa com o nível social cuidadosamente marcado no cabelo, nas pulseiras e no estilo da vestimenta — tudo isso lhe cheirava mal agora. Ele conhecia a sua própria identidade: um estrangeiro; um estranho em terra estranha; um *gerson*, o mesmo nome que escolhera para seu filho. Seu povo, os hebreus, eram os atados, com sangue escorrendo das feridas: os *hapirus*, os cheios de pó, que trabalhavam na lama e levavam as chicotadas dos egípcios. A única esperança de futuro deles estava nas mãos de Deus.

Por que cargas d'água a minha secretária permitiria a entrada desse pastor de cabras malcheiroso? — Faraó pensou ao ver Moisés, pois ainda não o tinha reconhecido. O homem "pesado de língua" sussurrou algumas palavras de apresentação no ouvido de Arão, seu intérprete, mas ninguém entendeu o sotaque rural dele. Quando Moisés finalmente abriu a boca, todos os presentes deram um passo para trás. Esse caipira estava falando a língua egípcia, de maneira perfeita e aristocrática.

Alguns minutos depois, Moisés, o antigo príncipe do Egito, e Faraó, o rei vigente, estavam rindo sobre os velhos e bons tempos. As pulseiras e os colares de Faraó tilintavam quando batia palmas de alegria. Para surpresa da guarda, ele até permitiu que esse visitante rude o tocasse!

Os dois tinham sido amigos de brincadeiras, antes de Moisés ter desagradado o Faraó da época. Mas o velho homem, morto há tempos, agora estava descansando em esplendor inimaginável no vale dos Reis. "Colocamos comida e móveis no seu túmulo o bastante para que ele tenha conforto por toda a eternidade", disse o novo

Faraó, seu filho. "Eu também já tenho 50 mil homens preparando meu túmulo. É sempre bom se precaver."

Qualquer coisa que Moisés quisesse ele teria, para si, ou seja, não para o restante dos hebreus. "Pense um pouco, Moisés. Coloque-se na minha posição. Nenhum monarca permitiria que a sua principal força de trabalho saísse assim, sem mais nem menos. Ainda quero construir cidades, aquedutos e fortes." Mesmo que isso não fosse mencionado na conversa, tanto Faraó quanto Moisés sabiam que os escravos hebreus faziam todo o trabalho pesado a um custo ínfimo. "Volte ao palácio e aproveite a vida", Faraó insistiu. "Não se preocupe com aquela história do canteiro de obras. Como o pai prometeu, eu agora sou o Egito, a estrela da manhã e a estrela da noite. Se eu disser que dia é noite, assim será escrito. Junte-se a mim e esqueça os hebreus."

Deus, no entanto, não tinha esquecido os hebreus: "Vi a aflição do meu povo, que está no Egito, e ouvi o seu clamor", ele dissera a Moisés na sarça ardente. Moisés tampouco conseguia esquecer seu povo. Em outra época talvez o convite de Faraó o tivesse tentado, mas não agora. Ele se envergonhava ao pensar no tempo em que chamou de pai aquele que tinha massacrado os filhos dos hebreus. Depois dos quarenta anos no deserto, não se sentia preparado para ver novamente a cena do trabalho escravo. Era para ele como um chute na barriga. Moisés lançou ao chão sua manopla, desafiando assim o império mais poderoso do mundo para uma batalha cósmica, em que os céus estavam tomando partido.

Em pouco tempo Moisés e Faraó estavam engajados num grande cabo de guerra, não muito diferente dos jogos em que tomavam parte nos pátios do palácio, só que agora com maiores implicações. "Ninguém vai mandar em mim! Ninguém vai me ameaçar, entendeu?", gritou Faraó num tom que Moisés nunca ouvira antes. "Eu sou a estrela da manhã e a estrela da noite. Eu sou Faraó!"

O Egito e seus deuses poderosos estavam todos fantasticamente alinhados contra o Deus invisível dos hebreus. Para os egípcios, a crença hebraica em um único Deus invisível era algo ridículo e cômico. Eles adoravam um panteão de deuses que podiam ser celebrados e vistos nos seus templos esplêndidos: Hórus, o falcão; Tot, o íbis; Khunm, o carneiro; Ápis, o touro sagrado. Cada um apresentava características misteriosas conhecidas somente por seus sacerdotes. Que vantagem tinha um Deus que não se podia ver e nem mesmo representar por uma escultura ou pintura?

Quanto ao pedido dos hebreus para saírem ao deserto para oferecer sacrifícios, parecia indisfarçada manobra de fuga. Eles não poderiam ir ao templo de Carnac, rio abaixo, em que 70 mil sacerdotes e acólitos prestavam serviço religioso em tempo integral? Se queriam oferecer sacrifícios, por que não contratar os profissionais especializados?

No entanto, um por um, os deuses dos egípcios foram derrubados pelas pragas desencadeadas pelo Deus de Moisés: o deus do rio se transformou em sangue, as moscas sagradas se tornaram uma peste em forma de enxame, o deus-sol Rá desapareceu atrás de uma nuvem, o grande touro não conseguiu proteger o gado. E no final, na última e pior praga, Faraó, juntamente com cada cidadão egípcio, perdeu seu primogênito. Finalmente ele reconheceu a derrota; o Deus invisível tinha conquistado a vitória. Já no dia seguinte os escravos hebreus, carregados com bens saqueados dos egípcios, saíram numa multidão enorme, desordenada, e à frente marchava Moisés, o príncipe de Israel.

É claro que Moisés não teria aceitado o título. A partir do momento em que vira a sarça que não parava de queimar, aprendeu uma lição acima de todas as outras: a missão era de Deus, não sua. Ele estava somente desempenhando o papel que Deus lhe destinara. Ele tentou inculcar essa lição na mente dos hebreus a cada ano, na época da Páscoa, em que eles lembravam aquela última e cruel noite no Egito, quando nenhum exército de Israel enfrentou os poderosos egípcios. A liberdade veio na noite mais escura, quando as famílias hebréias estavam reunidas em volta da mesa da Páscoa, com as "malas" prontas, esperando a libertação. Operada exclusivamente por Deus. Mais tarde, quando Faraó mudou de idéia e colocou seus carros no encalço das tribos em fuga, e todos os hebreus choraram como covardes, Deus interveio novamente. Até o Êxodo Deus preparou como meio de descrever-se a si mesmo: "Eu sou o Senhor teu Deus, que te tirei da terra do Egito".

Esse mesmo padrão de dependência servil continuaria por toda a peregrinação no deserto. Quando acabava a água dos hebreus, Deus provia. Quando acabava a comida, Deus provia. Quando havia ataque de salteadores, Deus provia a defesa. A libertação era ato de Deus, e só ele merecia o crédito por isso.

Os anos de pastoreio dos rebanhos durante o exílio em Midiã tinham acalmado Moisés, preparando-o para seu papel de liderança no Sinai. No início ele tinha tido o costume de agir com as próprias mãos. As três cenas de sua juventude tinham violência: assassinou um capataz egípcio, apartou uma briga entre seus irmãos, expulsou um bando de pastores que estavam incomodando algumas mulheres indefesas (com isso deixando uma boa imagem a sua futura esposa). Agora o famoso mau gênio se abrandara.

Somente uma vez a coisa foi tão intensa que desafiou o próprio Deus: quando Moisés, irado, bateu com o cajado contra a pedra. "Vocês querem água? Eu vou dar água para vocês!", ele tinha gritado aos murmuradores sedentos. Aquele escorregão lhe custou o sonho da sua vida, a oportunidade de ver a Terra Prometida. Por um momento Moisés se esqueceu de que aquela obra era de Deus, não sua, e por essa razão ele agora estava em pé sobre aquela grande pedra, diante da multidão ansiosa, do lado errado do rio Jordão.

Seja positivo, meu velho, ele murmura consigo mesmo. Lembre-se, este é o grande dia deles. Não estrague as coisas. Foram os pais deles que insultaram a Deus e não esses jovens que estão aí hoje. Dê-lhes esperança. Deixe que celebrem.

Por mais que tente, não consegue ficar sem dar um "sermão". Com os pés machucados e exausto, ao lembrar-se do último terço da sua vida, tudo que sente é decepção. "Vocês são demasiadamente pesados para que eu possa carregá-los sozinho", ele diz e espera que os repetidores passem a frase adiante. Bem, é verdade, eles são um peso — uma multidão de gente ingrata que choraminga e se contorce, e que ele tem arrastado pelo deserto como um jumento que puxa um carro morro acima. Logo que os tirara do Egito já começaram a sentir falta dos frutos e temperos que tinham deixado para trás. Ingratos! Deus lhes dá maná, e querem carne. Deus faz com que rochas sangrem água, e eles pedem rios.

São de dura cerviz, como o boi que resistia ao jogo que Moisés tentava lhe impor em Midiã. Enquanto o animal estúpido não sossegasse, ele não conseguia firmar a canga sobre o seu pescoço. O bicho ficava cheio de feridas por causa de sua teimosia. Essa tribo vem peregrinando pelo deserto há quarenta anos com a canga balançando para cá e para lá sobre a sua nuca dura. Deveria ter levado onze dias essa jornada ingrata, não quarenta anos.

"Vocês não puderam entrar na terra; vocês se rebelaram contra a ordem do Senhor seu Deus. Vocês murmuraram nas suas tendas... Vocês têm sido rebeldes contra o Senhor desde que os conheci."

Calma, meu velho. Deixe para lá. Lembre-se que os que estão aí são os filhos. Os pais fizeram tudo aquilo, não estes. Mas ele não consegue se controlar. Ele tem 40 anos de bílis para descarregar, e os pais, em quem ele queria despejar tudo isso, não estão mais aí.

"Por causa de vocês o Senhor ficou irado comigo também e disse: 'Não entrarás na terra'." É isso que está entalado na sua garganta. Como pode? Essas crianças vão poder entrar orgulhosamente na terra em que há leite e mel à vontade enquanto o grande libertador, aquele que os carregou como um fardo, que se levantou a favor deles quando até Deus os tinha abandonado, tem de ficar aqui, a um passo da felicidade... e morrer? Isso não é justo. Nada disso tudo é justo. "Eu lhes disse, mas vocês não ouviram. Vocês se rebelaram contra a ordem do Senhor..."

O discurso não está indo muito bem. Moisés percebe isso na multidão: as mulheres conversando umas com as outras, os homens irrequietos, as crianças saindo para brincar. Essa é a sua última oportunidade e ele está fracassando. Mas será que ele não tem o direito de dizer isso? Não conquistou esse direito? Tanto faz como reagirão agora. Eles têm de ouvir. Um dia eles vão entender. Um dia vão saber o quanto o ofenderam.

"Eu pedi ao Senhor: 'Deixe-me entrar e ver a boa terra além do Jordão, as montanhas e o Líbano'. Mas por causa de vocês o Senhor se irou comigo e não me deu ouvidos."

Sem dúvida, a multidão entendeu o delírio indigesto do velho homem. Cada um de seus pais estava enterrado nas areias do Sinai, e logo Moisés se juntaria a eles, um fim indigno para uma vida de serviço. Ele tinha conhecido poucas alegrias, e certamente eles não tinham tornado a vida dele muito fácil ao lhe trazer longas listas de problemas a cada dia. Tinham feito fofoca a respeito dele, desconfiado dele, sentido inveja dele. No fundo, ninguém gostava de Moisés — como é possível se relacionar com um homem assim, seu mentor por quarenta anos, que prefere pastorear ovelhas a cuidar de pessoas, que se encontra com Deus numa tenda? — e ele deve ter sabido disso.

Foi um longo discurso que Moisés fez; na verdade três discursos, e, apesar da sua tendência de se perder em rancor acerca do próprio destino amargo, ele se controlou o suficiente para passar ao povo a mensagem básica, que podia ser resumida numa só palavra: "Lembrem-se!". Com os discursos de Deuteronômio, Moisés estabeleceu a valiosa tradição da lembrança histórica, tradição que o seu povo, que se tornou conhecido como judeu, tem valorizado desde então: "Nunca se esqueçam". Mesmo que tentemos, não conseguimos mudar o passado, mas devemos ainda assim honrá-lo, dando testemunho, lembrando para que não seja repetido.

Poderíamos pensar que, em vista de tudo o que tinha acontecido — os séculos de escravidão, as dez pragas, o milagre do mar Vermelho, as vitórias sobre as tribos vizinhas —, os hebreus não necessitariam de um lembrete tão circunstanciado da lei. Esquecer-se de Deus uma geração após o Êxodo? Como eles poderiam duvidar de novo de um Deus assim? Mas Moisés sabia por intuição que o simples ato de lembrar exigiria atos diários de concentração.

> Guarda-te de não te esqueceres do Senhor teu Deus, não cumprindo os seus mandamentos, os seus juízos e os seus estatutos que hoje te ordeno; para não suceder que, depois de teres comido e estares farto, de teres edificado boas casas e habitado nelas, depois de se multiplicarem as tuas vacas e as tuas ovelhas, e aumentar a prata e o ouro e tudo quanto tens, se ensoberbeça o teu coração e te esqueças do Senhor teu Deus, que te tirou da terra do Egito, da casa da servidão; que te guiou por aquele grande e terrível deserto de serpentes abrasadoras, de escorpiões, de terra árida e sem água, onde fez jorrar para ti água da pedra dos rochedos; que no deserto te sustentou com maná, que teus pais não conheceriam, a fim de te humilhar e provar, e afinal te fazer bem. Não digas no teu coração: A minha força e o poder do meu braço me proporcionaram esta riqueza. Antes te lembrarás de que o Senhor teu Deus é que te dá força para adquirires riquezas, confirmando a sua aliança que jurou a teus pais, como hoje se vê.

Aparentemente nada incomoda mais a Deus do que o simples fato de ser esquecido. Durante os anos de peregrinação pelo deserto, obrigados a depender de Deus diariamente, os hebreus não podiam se dar ao luxo de esquecer. Deus alimentara os israelitas, vestira-os, planejara seu itinerário diário e lutara as suas batalhas. Nenhum hebreu questionara a existência de Deus nesses dias, pois ele estava sobre eles numa nuvem espessa e numa coluna de fogo.

Logo, porém, Deus se retrairia daquele papel paternal quase sufocante. No primeiro dia que comessem do produto da Terra Prometida, o maná cessaria. Daí em diante teriam de cultivar a própria terra e fazer as próprias plantações. Construiriam cidades, guerreariam, escolheriam um rei. Prosperariam e engordariam. Confiariam nos seus exércitos e carros, em vez de confiar em Deus, esquecendo a lição imposta ao todo-poderoso Egito. Discriminariam os pobres e estrangeiros, esquecendo-se de que uma vez tinham sido os dois. Em suma, iam esquecer-se de Deus.

> Estas palavras que hoje te ordeno estarão no teu coração. Tu as inculcarás a teus filhos, e delas falarás assentado em tua casa, andando pelo caminho, deitando-te e levantando-te. Também as atarás na tua mão por sinal, e te serão por faixa entre os teus olhos. E as escreverás nos umbrais da casa, e nas portas. Quando o Senhor teu Deus te introduzir na terra que, sob juramento, prometeu a teus pais, Abraão, Isaque e Jacó, que te daria, grandes e boas cidades que não edificaste, casas cheias de bens que não encheste, poços abertos que não cavaste; vinhais e olivais que não plantaste; e quando comeres e te fartares, guarda-te, que não te esqueças do Senhor, que te tirou da terra do Egito, da casa da servidão.

Sucesso, e não fracasso, é o maior perigo que ronda todo servo de Deus, como Moisés bem sabia. Ele tinha perambulado pelo deserto por quarenta anos como castigo pela incapacidade dos hebreus de administrar o sucesso do Êxodo. Cada ruína significativa na sua vida tinha ocorrido depois de ele ter tomado o poder nas suas mãos — ao matar o egípcio, ao bater na rocha no deserto — em vez de confiar em Deus.

Entretanto, convém ressaltar que sua maior vitória militar se deu quando ele desempenhou um papel quase patético. Ao contrário de um verdadeiro general à frente de suas tropas, Moisés ficou distante, no topo de um monte próximo, erguendo as mãos para o alto como um religioso fanático. Enquanto estendia as mãos em direção a Deus, os israelitas ganhavam a guerra; quando abaixava as mãos, os amalequitas ganhavam. Ao final do dia, lá estava um Moisés exausto, sentado numa rocha com cada um de seus braços apoiado por um ajudante. A força de Deus se aperfeiçoa na fraqueza.

De certa forma, só falar do gosto amargo já o abranda um pouco. Certamente houve bons momentos, Moisés admite. Deus esteve ao seu lado a cada passo da jornada, e, mesmo quando parece que só Deus o apóia, é quanto basta. Certa vez Coré e o seu bando se rebelaram contra ele — nos velhos tempos ele teria tomado uma espada e cortado esse pessoal ao meio. Em vez disso, simplesmente esperou que Deus resolvesse a questão. Mais tarde, quando seus próprios irmãos se viraram contra ele e caçoaram de sua esposa africana, ele também ficou de lado e deixou que Deus fizesse justiça. E Deus fez, ao dar a Arão e a Miriã um "sermão" exemplar. "Com quem eu falo face a face", Deus disse referindo-se a Moisés com uma voz de trovão. "Como vocês ousam falar contra o meu servo?" Moisés abaixa a cabeça, com a face corada.

Certa vez Moisés ouviu alguém falando sobre o "homem mais manso da terra" e, para a sua surpresa, descobriu que estavam falando dele! Sua mãe e Faraó certamente nunca teriam usado essa expressão para se referir a ele, Moisés brinca consigo mesmo. Provavelmente nem mesmo Deus. Manso? Humilde? Imagine só.

Ao longo dos anos Moisés aprendeu algo tão doce, estranho e misterioso, que somente uma palavra poderia transmitir a idéia: graça, o presente gratuito e imerecido de Deus. Ele descobriu que Deus o amava, apesar de suas falhas, com um amor puro, pertinaz e eterno. Depois de mais de um século de vida, Moisés desistiu de tentar descobrir o que Deus viu nele. Ou o que viu no restante dos hebreus. Ele simplesmente aceita esse fato e agradece.

Moisés bebe um grande gole d'água em seu recipiente de pele de cabra, molha os lábios, limpa a garganta. "Ouçam, prestem atenção. Aqui está o que quero que vocês lembrem. Mesmo que se esqueçam de tudo o que eu disse, pensem nisto." Mais uma pausa, ele bebe água de novo. A multidão se cala, percebendo uma mudança na voz de Moisés. Sua face é invadida por um toque de êxtase, o que quase a faz brilhar. Eles conhecem essa expressão; viam essas feições sempre que Moisés saía da tenda sagrada depois de seus encontros com Deus.

> O Senhor não se afeiçoou de vós, e vos escolheu por serdes mais numerosos do que todos os outros povos, pois éreis menos em número do que todos os povos. Mas porque o Senhor vos amava, e para guardar o juramento que fizera a vossos pais, o Senhor vos tirou com mão forte, e vos resgatou da casa da servidão, da mão de Faraó, o rei do Egito. Saberás, portanto, que o Senhor teu Deus é Deus, o Deus fiel, que guarda a aliança e a misericórdia, até mil gerações aos que o amam e guardam os seus mandamentos.

Agora ele está esquentando a mensagem; sua voz, pesarosa, aumenta em tom e volume.

> Os céus e os céus dos céus são do Senhor teu Deus, a terra e tudo o que nela há. Mesmo assim, o Senhor se afeiçoou a teus pais para os amar, e a vós, semente deles, escolheu depois deles, de todos os povos, como hoje se vê. [...] Ele é o teu louvor e o teu Deus, que por ti fez estas grandes e terríveis coisas que os teus olhos têm visto. Com setenta almas teus pais desceram ao Egito, e agora o Senhor teu Deus te pôs como as estrelas dos céus em multidão.

"Como as estrelas dos céus" — ele gosta dessa expressão. Não foi isso que Deus prometeu a Abraão? Agora aqui está, profecia cumprida diante dos seus próprios olhos. É verdade que eles murmuraram e se rebelaram levando a geração antiga mais cedo para o túmulo, mas aqui estão, os israelitas, o povo escolhido de Deus, o seu "tesouro pessoal", reunidos na fronteira de uma nova terra.

Ele bebe sua água novamente, dando tempo para que as palavras possam penetrar fundo. O povo está reagindo bem a esse tom positivo. Quem não gosta de ouvir que é amado por Deus?

A primeira vez que Moisés tinha se encontrado com Deus bem de perto, a sua respiração ficara suspensa. Ele escondera o rosto de vergonha e temor. Porém, depois de quarenta anos desses encontros, ele e Deus acabaram se tornando — será que ele poderia dizer assim? — amigos. Ele discute com Deus e até negocia com ele. Às vezes ele perde, como aconteceu com seu pedido de entrar na Terra Prometida, mas às vezes ele ganha, como naquela vez em que Deus quase abortou todo o projeto e Moisés o convenceu a mudar de idéia.

Moisés agora deixa de lado o seu esboço e começa a caminhar por entre o povo, lembrando a multidão daquela sua hora mais especial. Só três dias se haviam passado desde a saída do Egito e eles já estavam reclamando por causa de água; um mês depois já se haviam esquecido das chicotadas e estavam choramingando com saudade dos figos e das romãs do Egito; então, um mês depois disso, no momento mais sagrado da vida de Moisés, ele desce da nuvem para deparar com uma cena que virou o seu estômago. Ele tinha estado na presença de Deus naquela montanha sagrada, recebendo as tábuas da lei das mãos do próprio Deus. Quando desce, seu rosto brilhando como uma lanterna, encontra-os dançando em volta de um bezerro de ouro, um ídolo egípcio. Isso era demais. Ele teria se separado do seu povo naquele instante se Deus não tivesse tomado aquela decisão primeiro.

De repente, Moisés era o único fator que estava evitando a eliminação de todo o povo hebreu. Deus estava falando sério. Moisés jogou as tábuas sagradas no chão, quebrando-as em pedaços, e aí se jogou ele mesmo ao chão. Ficou ali prostrado quarenta dias e quarenta noites, um dia de penitência para cada dia que ele tinha passado com Deus no monte santo. Não comeu pão, não bebeu água, e o dia inteiro os hebreus andaram em volta dele cuidadosamente, tentando ver se ele tinha morrido, pensando se agora não morreriam. Eles certamente teriam morrido, se Moisés não tivesse defendido a causa deles.

"Agora, pois, deixa-me, para que o meu furor se acenda contra eles, e os consuma. Então eu farei de ti uma grande nação." Que oferta tentadora Deus fez a ele. Mas Moisés estava disposto a não abandonar a Deus. Ele argumentou, suplicou, chorou. Recorreu à misericórdia de Deus, a seu orgulho, a sua reputação. Ele pediu a Deus que levasse a ele, Moisés, no lugar do povo e deixasse que vivessem. Ele lembrou a Deus de suas personagens prediletas: Abraão, Isaque, Jacó. Até que enfim Deus cedeu. Ele permitiu que Moisés vislumbrasse um aspecto dele que nunca alguém na terra tinha visto. Ele fez um novo pacto, concordando em acompanhar o seu povo à Terra Prometida.

Apesar de ter sido criado entre os egípcios e os seus deuses em forma de animais, Moisés redescobriu um fato fundamental a respeito de Deus que tinha sido esquecido nos quatrocentos anos de silêncio: Deus é uma pessoa. Nos anos de silêncio, os hebreus pensavam em Deus, se é que pensavam nele, como um mistério distante, inalcançável e inefável que pouco se importava com o que estava acontecendo na terra. Moisés lembrou os hebreus que Deus é tão pessoal quanto eles próprios; na verdade, a "pessoalidade" deles é um reflexo, mesmo que um tanto pálido, do que Deus é.

Quando Deus faz uma lista de mandamentos, o *amor* está em primeiro lugar, pois é a base de todo o seu relacionamento com a humanidade. Deus encontra-se numa tenda e trata de questões de relacionamento, como um homem que conversa com um amigo. Ele ouve e replica. Deus também sente dor. Quando é desprezado, sofre como qualquer pessoa que ama e foi ferida. Ele faz ameaças, depois retrocede. Ele negocia e assina contratos.

Esse último aspecto era o que mais diferenciava os hebreus dos outros povos. Até mesmo os arrogantes egípcios viviam com medo de seus deuses instáveis. Os cananeus sacrificavam crianças para aplacar a ira de seus deuses imprevisíveis. Porém, o Deus dos hebreus estava disposto a assinar um contrato que detalhava exatamente o que ele esperava do seu povo, e o que prometia em troca.

Com exceção dos judeus ortodoxos, poucos hoje dedicam tempo aos códigos legais registrados em Êxodo, Levítico e Deuteronômio. As leis parecem repetitivas e geralmente inaplicáveis à sociedade moderna. No entanto, como Deuteronômio demonstra claramente, essas leis somente demarcam os limites de um relacionamento desigual em inúmeros aspectos: entre um Deus sublime e santo e um povo comum que sempre acabava tendendo para o fracasso e a rebeldia.

Como Moisés já previa, anos mais tarde, alguns questionariam algumas leis específicas do contrato. Moisés já antecipou esse tipo de questionamento:

> Quando teu filho te perguntar no futuro: Que são estes testemunhos, estatutos e juízos que o Senhor nosso Deus vos ordenou? Então dirás a teu filho: Éramos servos de Faraó no Egito, porém o Senhor nos tirou de lá com mão forte. À nossa vista o Senhor fez grandes sinais e terríveis prodígios contra o Egito, contra Faraó e

> contra toda a sua família. Mas ele nos tirou de lá para nos trazer à terra que, com juramento, prometera a nossos pais. O Senhor nos ordenou que cumpríssemos todos estes estatutos para temermos ao Senhor nosso Deus, para que tudo nos corra bem, para nos guardar em vida, como hoje se vê. E será justiça para nós, se cuidarmos de cumprir todos estes mandamentos perante o Senhor nosso Deus, como ele nos tem ordenado.

Em resumo, Deus deu as leis aos hebreus para o próprio bem deles. A prosperidade e a sobrevivência deles dependiam desse contrato. Moisés expressou o lado de Deus nesse "negócio" com detalhes vívidos. As mulheres israelitas teriam muitos bebês, todas as suas colheitas seriam generosas, o gado e as ovelhas multiplicariam. Ele até lhes deu esta promessa extraordinária: "O Senhor desviará de ti toda enfermidade". Para que os israelitas recebessem esses benefícios, Deus pediu somente uma coisa em troca — algo grande, como ficou evidente: cumpram o acordo da aliança estipulada no contrato.

Deus tinha um relacionamento sem precedentes com o bando de refugiados que peregrinou pelo Sinai aqueles quarenta anos. Moisés não conseguia captar a grandiosidade disso tudo: "Agora pergunta aos tempos passados que te precederam desde o dia em que Deus criou o homem sobre a terra, desde uma extremidade do céu até a outra, se jamais aconteceu coisa tão grande como esta, ou se jamais se ouviu coisa semelhante! Ou se algum povo ouviu a voz de Deus falar do meio do fogo, como tu a ouviste, e tenha ficado vivo? Ou se um deus intentou tomar para si um povo do meio de outro povo com provas, sinais, milagres e combate, com mão forte, e braço estendido, com grandes terrores, conforme tudo quanto o Senhor vosso Deus vos fez no Egito aos vossos olhos?".

Mais tarde a nação passaria por tempos semelhantes aos de Jó, colocando o próprio contrato em xeque. A fé deles se veria diante de questões de injustiça e sentimentos de abandono. Contudo, nesse exato momento, o plano maravilhoso estava sendo cumprido. Deus, o que escolhe com soberania, o que cumpre fielmente as suas promessas, estava conduzindo seu povo escolhido até a Terra Prometida.

A voz de Moisés está cansada. Ele faz pausas cada vez mais freqüentes. Restam-lhe tão poucas energias, há tão pouco tempo. Quando começou a falar, achava que poderia postergar a morte com um simples discurso. Agora já não se importa. A fadiga anestesiou a vida. Ele já disse tudo e muito mais, caminhando, repetindo, desatando em choro nos lugares errados.

De quê, na verdade, eles vão se lembrar? Os escribas registram as palavras para a posteridade, mas as palavras constituem aliados frágeis contra os inimigos que os hebreus logo enfrentarão.

Vem-lhe uma idéia. Lá no Egito se usavam pedras como monumentos. Em colunas, obeliscos e muros de pedra eram inscritas as aventuras e conquistas de Faraó e registradas as leis do império. Quando um criminoso alegava falta de conhecimento da lei, eles o arrastavam para a pedra e apontavam para a lei que ele tinha transgredido. E se os hebreus fizessem algo assim?

"Façam isto", Moisés ordena. "No dia em que passares o Jordão para a terra que o Senhor teu Deus te dá, levantarás umas pedras grandes, e as caiarás. Havendo-o passado, escreverás nelas todas as palavras desta lei [...] E quando tiveres passado o Jordão, levantarás estas pedras, como hoje te ordeno, no monte Ebal, e as caiarás."

Esse é pelo menos um começo. Que mais? Como ele poderia inculcar nessas pessoas o significado de um contrato com o Deus todo-poderoso? Mais uma idéia. Moisés delega à tribo dos levitas a tarefa de proclamar as leis. "Maldito aquele que remover os marcos do seu próximo", eles proclamam, e todo o povo deve dizer "Amém!", assim ninguém terá desculpas. Façam com que esse acordo seja ratificado em detalhes, ponto por ponto, em voz alta.

Em seguida, Moisés destaca dois "corais" antifônicos. Não seguem uma melodia, mas anunciam as palavras em tons sem harmonia entre si. Do outro lado do Jordão, duas montanhas formam um anfiteatro natural. No monte Gerizim, seis tribos de "otimistas" estarão paradas para recitar as bênçãos:

> O SENHOR fará que sejam derrotados na tua presença os inimigos que se levantarem contra ti. Se por um caminho vierem contra ti, por sete caminhos fugirão à tua vista. [...] O Senhor te abrirá o seu bom tesouro, o céu, para dar chuva à tua terra no seu tempo, e para abençoar toda a obra das tuas mãos. Emprestarás a muitas nações, porém tu não tomarás emprestado. O

> Senhor te porá por cabeça, e não por cauda. Estarás em cima, e não debaixo, se obedeceres aos mandamentos do Senhor teu Deus, que hoje te ordeno, para os guardar e cumprir.

Há mais garantias de segurança na mesma linha: vitória na guerra, tempo bom, economia crescente, saúde, prosperidade. Todo líder promete esse tipo de coisas, claro, mas nesse caso o próprio Deus assinou o contrato. Isso deveria causar um impacto tremendo.

Mas, por conhecer esse povo, Moisés sabe que também vão precisar de algumas advertências. Muitas advertências, aliás. Então comecem com as maldições. Não se esqueçam de nenhuma; que as maldições venham como chuva. Disparem. Que se incuta neles o medo de pecar.

> O Senhor te ferirá com a tísica e com a febre, com a inflamação, com o calor ardente, com a secura, com o crestamento, e com a ferrugem; e isto te perseguirá até que pereças. Os teus céus sobre a tua cabeça serão de bronze, a terra debaixo de ti será de ferro. O Senhor transformará a chuva da tua terra em pó e areia, que descerão dos céus sobre ti, até que pereças. O Senhor te fará cair diante dos teus inimigos. Por um caminho sairás contra eles, mas por sete caminhos fugirás diante deles, e serás espalhado por todos os reinos da terra. Teu cadáver servirá de pasto a todas as aves do céu, e aos animais da terra, e ninguém os espantará. O Senhor te ferirá com as úlceras do Egito, com tumores, com sarna e com prurido, de que não possas curar-te. O Senhor te ferirá com loucura, com cegueira, e com pasmo do coração. Apalparás ao meio-dia, como o cego apalpa na escuridão; não prosperarás nos teus caminhos; pelo contrário, serás sempre oprimido e roubado todos os dias, sem que ninguém te socorra.

Deus, será que isso é possível? Você seria capaz de abandonar o seu povo desse jeito? Moisés consegue ver isso tão claramente que os seus joelhos fraquejam e o seu coração falha. Mas mal consegue crer que isso acontecerá com o povo que Deus ama.

> Todas estas maldições virão sobre ti [...] Porque não serviste ao Senhor teu Deus com alegria e bondade de coração, por causa da abundância de tudo, assim servirás aos teus inimigos, que o Senhor enviará contra ti, em fome e sede, e em nudez, e em falta de tudo.

> Comerás o fruto do teu ventre, a carne de teus filhos e filhas, que o Senhor teu Deus te houver dado por causa do cerco e da angústia com que os teus inimigos te apertarão. O homem mais delicado e afetuoso do teu meio olhará sem piedade o seu irmão, a mulher de seu amor, e o resto dos filhos que ainda tiver, e não dará a nenhum deles da carne de seus filhos que estiver comendo, porque nada restou no cerco e na angústia com que o inimigo te apertará em todas as tuas cidades. Quanto à mulher mais delicada e afetuosa do teu meio, que de tão delicada e afetuosa nunca tentaria pôr a planta do pé sobre a terra, será mesquinha para com o marido do seu amor, e para com seu filho, e para com sua filha, e também ela será mesquinha para com a placenta que lhe saiu do ventre e dos filhos que acabou de dar à luz, pois, na falta de tudo, ela os comerá às escondidas, na angústia e no aperto com que o teu inimigo te apertará nas tuas cidades.

Ele vê o cerco do inimigo como se estivesse acontecendo diante de seus olhos. Ele vê corpos empilhados, os pais brigando pelo cadáver dos filhos, as belas jovens hebréias transformadas em bruxas esqueléticas. Ah, se ao menos os seus olhos falhassem e o poupassem dessa visão! Ah, se os hebreus ficassem surdos e não ouvissem essas maldições! Mas precisam ouvir, precisam ouvir. Saber dessas coisas é a única possibilidade de evitá-las.

> O Senhor vos espalhará entre todos os povos, de uma até a outra extremidade da terra [...] pois ali o Senhor te dará tremor de coração, desfalecimento de olhos, e desmaio de alma. A tua vida estará suspensa como por um fio diante de ti, e viverás sobressaltado de noite e de dia, e não acreditarás na tua própria vida. Pela manhã dirás: Ah! quem me dera ver a noite! E à tarde dirás: Ah! quem me dera ver a manhã! por causa do medo que tomará conta do teu coração, e pelo que verás com os teus olhos. O Senhor te fará voltar ao Egito em navios, pelo caminho de que te disse: Nunca jamais o verás. Ali sereis oferecidos como escravos e escravas aos vossos inimigos, mas não haverá quem vos compre.

Moisés não consegue continuar. Que mais poderia dizer? Um pavor toma conta dele quando profere as palavras: o pavor da verdade. Sua voz se reduziu a um sussurro. O que está proclamando ao povo como advertências terríveis para protegê-los do pecado são, na verdade, profecias inevitáveis, e ele sabe disso. Ele está apresentando o prenúncio da história de um povo que quebrará a aliança com Deus não somente uma, mas repetidas vezes.

"Vê, hoje te proponho a vida e o bem, a morte e o mal", Moisés grita, quase berrando ao ar, que de repente ficou imóvel. "Os céus e a terra tomo hoje por testemunhas contra ti, que te propus a vida e a morte, a bênção e a maldição. Agora escolhe a vida, para que vivas, tu e os teus filhos".

Exausto, afônico, o velho homem, muito fraco, cai nos braços de seus ajudantes, e ninguém dentre toda aquela multidão produz um som sequer enquanto cuidadosamente o baixam da pedra para outros que estão esperando logo abaixo.

Mais do que qualquer coisa, Deus queria que o acordo com os hebreus fosse bem-sucedido: "Quem dera que eles tivessem tal coração, que me temessem, e em todo o tempo guardassem todos os meus mandamentos, para que bem lhes fosse a eles e a seus filhos, para sempre!", ele disse a Moisés. Mas as repetidas rebeliões no deserto deixaram seus rastros. Depois do Sinai, até Deus falava do futuro com um tom de resignação próxima do fatalismo, como o pai de um viciado em drogas que se vê incapacitado de interromper o processo de autodestruição do próprio filho.

Duas lições teatrais de memorização não foram suficientes. Apesar da exaustão de Moisés, Deus pede mais uma tarefa dele, uma tarefa ingrata, sem dúvida. Escreva um hino, Deus disse, e faça os israelitas aprenderem o hino como testemunho para a história. Leis escritas em pedra e argamassa, maldições e bênçãos anunciadas no topo das montanhas — esses quadros e sons vão esvanecer. Faça com que eles aprendam, cada um, as minhas palavras de cor. Que exercitem e repitam até saber tudo de memória.

O hino que está em Deuteronômio 32 expressa em forma de música a própria concepção de Deus: a história de um pai tão triste que se sente abandonado. Portanto, no nascimento de sua nação, eufóricos diante da travessia do rio Jordão, os israelitas cantam pela primeria vez um tipo de hino nacional, o mais estranho que já se cantou sobre a face da terra. Não tinha praticamente nenhuma palavra de esperança, só calamidades.

Primeiro cantaram os bons tempos, quando Deus os encontrou numa terra abandonada e os valorizou como a menina de seus olhos. Cantaram a traição que estava por vir, quando se esqueceriam do Deus que os ajudou a nascer. Cantaram as maldições que os afligiriam, a fome mortífera, a praga mortal e as flechas manchadas de sangue. Com esse tipo de música agridoce soando em seus ouvidos, entraram marchando na Terra Prometida.

"Estive no topo da montanha", disse Martin Luther King Jr. no seu discurso final, fazendo uma alusão memorável a Moisés. "[Deus] me permitiu ir ao topo da montanha, e eu olhei por cima, e vi a terra prometida. Talvez eu não chegue lá com vocês. Mas quero que vocês saibam hoje à noite que nós, como um povo, chegaremos à terra prometida. E por isso estou feliz nesta noite [...]. Meus olhos viram a glória da vinda do Senhor." Após esse discurso, King retornou ao quarto do hotel, foi atingido pela bala de um assassino e morreu numa poça de sangue.

No mesmo dia em que Moisés ensinou aos israelitas o hino melancólico do futuro deles, ele subiu ao monte Nebo, forçou os olhos para conseguir enxergar contra o sol e olhou em todas as direções, tão longe quanto pôde. Tinha subido a montanha. Tinha visto a Terra Prometida. Ali na fronteira, Moisés morreu.

Deuteronômio acrescenta este tributo: "Nunca mais se levantou em Israel profeta algum como Moisés, a quem o Senhor conhecesse face a face, no tocante a todos os sinais e maravilhas que o Senhor o enviou a fazer na terra do Egito, a Faraó, a todos os seus servos e a toda a sua terra, e no tocante à sua mão poderosa, e aos grandes e terríveis feitos que realizou na presença de todo o Israel".

Ele era pregador, historiador, soldado, profeta, juiz, político e sacerdote deles. Séculos mais tarde, outro escritor judeu, Elie Wiesel, escreveu mais a respeito da contribuição de Moisés:

> Moisés, o herói mais solitário e mais poderoso da história bíblica. A amplitude de sua tarefa e a abrangência de sua experiência exigem nossa admiração, nossa reverência, nossa estupefação. Moisés, o homem que sozinho mudou o curso da história; seu surgimento tornou-se o ponto decisivo. Depois dele, nada foi igual.
>
> Não admira que ele ocupe lugar tão especial na tradição dos judeus. Seu entusiasmo pela justiça social, sua luta pela libertação nacional, seus triunfos e frustrações, sua inspiração poética, seus dons como estrategista e seu gênio organizacional, seu rela-

> cionamento complexo com Deus e com o povo de Deus, suas exigências e promessas, suas condenações e bênçãos, as suas explosões de raiva, seu silêncio, seus esforços para conciliar lei e compaixão, autoridade e integridade — ninguém, nunca, em lugar algum, conquistou tanto para tantas pessoas em áreas tão diferentes. A influência dele é ilimitada, ecoa além do tempo. A lei tem o seu nome, o *Talmude* é só o comentário dela e a Cabala só comunica o seu silêncio.
>
> — *Messengers of God* [*Mensageiros de Deus*]

Depois de Moisés, nada foi igual. Um homem veio para defender o seu povo, e com uma boa razão. Adotado por uma mãe do império, punido por dar vazão ao seu impulso, sentenciado a peregrinar quarenta anos pelo deserto, perdoado, restaurado, escolhido a dedo para uma tarefa impossível, acompanhado pela presença irresistível de Deus a cada passo — a história pessoal de Moisés reproduz, em miniatura, a história de seu povo.

Leitores modernos, empolgados com a aventura do Êxodo, dão pouca atenção aos quatrocentos anos de miséria que o precederam, ou aos fracassos terríveis que o sucederam no Sinai e na Terra Prometida. É essa a razão primordial por que a Bíblia incluiu Deuteronômio, e é por isso que nós, ocidentais otimistas, deveríamos dar mais atenção a isso.

Outros têm tomado de empréstimo partes da mensagem de Moisés, mas ninguém conseguiu acertar bem. Libertários de toda ordem, desde Marx, passando pelos escravos americanos até as comunidades de base da América Latina têm-se apropriado da linguagem do Êxodo, mas todos omitem o realismo ilimitado de Moisés. Eles caem nas promessas utópicas de uma Terra Prometida que nunca se materializou e nunca se concretizará deste lado da eternidade:

> Ó Canaã, doce Canaã,
> Estou a caminho de Canaã.
>
> Vou deixar a minha espada e o escudo.
> Rio abaixo,
> Já não vou aprender a fazer guerra.

Muitas vezes esses "utopistas" acabam criando sistemas políticos mais tiranos do que aquele do qual queriam libertar as pessoas. As colônias africanas expulsam os imperialistas para então enfrentar novas crises por independência, e também entre si. Pequenos países escapam da sombra escura da União Soviética para logo em seguida se desintegrarem em guerra civil. O Antigo Testamento deveria vir com uma advertência: não leia Êxodo sem ler Deuteronômio. Isso economizaria muita desilusão, tanto para políticos quanto para pregadores.

Cristãos pietistas também tomaram emprestada a linguagem de Moisés para aludir a uma vida cristã vitoriosa do outro lado do Jordão:

> Às margens agitadas do Jordão estou,
> E lanço um olhar desejoso
> Para a terra bonita e alegre de Canaã,
> Onde está o meu tesouro.
>
> Os ventos ameaçadores e o sopro destruidor
> Não conseguem alcançar aquela linda margem;
> Doença e tristeza, dor e morte,
> Já não são sentidas nem temidas.

Essas descrições pintam o Egito como uma terra escura de panelas de carne sedutora, e o deserto como um teste (provação) necessário para se chegar finalmente à Terra Prometida inundada pelo sol. Os sete últimos capítulos de Deuteronômio deveriam desaprovar para sempre essa idéia. A vida com Deus nunca é tão fácil, e tão estruturada, para quem quer que seja. Não para os hebreus daquela época, nem para nós que vivemos hoje. O peregrino precisa progredir, monte acima, enfrentando novos inimigos a cada curva.

Moisés foi o homem mais realista a respeito da vida com Deus. Como protoprofeta, ele passou a mensagem de Deus ao povo sem diluí-la nem contradizê-la. Como proto-sacerdote, ele representou o povo diante de Deus com paixão, convicção e amor. Não fez promessas de um final feliz — a sua vida não teve isso —, mas tampouco olhou para trás arrependido. Os prazeres do Egito e o conforto solitário da vida de nômade tinham perdido a atração para ele. Ele tinha de estar onde estava o seu povo, esse bando mal-humorado, e com o seu Deus, aquele que ele tinha passado a conhecer como amigo, face a face.

"Compassivo e piedoso é o Senhor, lento para a cólera, e abundante em amor", cantaria o salmista muitos anos depois, citando o *Shema* sagrado que Moisés tinha ensinado ao seu povo. Essa oração ainda é usada todos os dias de manhã e à noite por judeus no mundo inteiro. Deus comprometeu o seu amor num acordo, para que, mesmo que as emoções venham e desapareçam, no final o amor sempre prevaleça.

> Não repreenderá perpetuamente,
> nem para sempre conservará a sua ira.
> [...]
> Pois quanto o céu está elevado acima da terra,
> assim é grande o seu amor para com os que o temem.
> Quanto está longe o oriente do ocidente,
> assim afasta de nós as nossas transgressões.
> Como um pai se compadece de seus filhos,
> assim o Senhor se compadece dos que o temem,
> pois ele conhece a nossa estrutura,
> e se lembra de que somos pó.

Pó, *hapirus*, "os cheios de pó", a gíria dos egípcios antigos em referência aos hebreus — Deus lembra que somos pó. Moisés já tinha ensinado bem claramente que o mal não pode ser prevenido e o castigo é inevitável. Contudo, temos um Deus que intencionalmente se esquece dos nossos pecados e intencionalmente se lembra da nossa fragilidade. Temos um Deus que caminha ao nosso lado, que *tabernacula* entre nós em meio ao deserto grande e assustador. Temos um Deus de graça, que ama até os do pó — e sobretudo os do pó.

Há dois pós-escritos aos discursos tristes e eloqüentes de Moisés em Deuteronômio. O primeiro refere-se a um fato ocorrido depois que as profecias terríveis de Moisés sobre seu povo se tornaram realidade. Depois da morte de Moisés, os hebreus cruzaram o Jordão, conquistaram Canaã, construíram cidades, tornaram-se poderosos e prósperos, e logo se esqueceram de Deus. A nação dividiu-se em dois reinos, invasores vieram, Jerusalém foi cercada e as cenas de horror que Moisés descreveu — pais comendo os próprios filhos — se tornaram parte da história. Mais uma vez Deus interveio com libertação miraculosa, dando nova oportunidade a seu povo.

Dois reinos mais tarde, o menino-rei Josias teve a idéia nostálgica de reformar o templo e renovar algumas das práticas religiosas antigas. A cidade santa de Deus tinha decaído a níveis historicamente baixos. No templo, os destaques eram ídolos, prostitutos rituais no estilo dos cananeus e entalhes de cavalos dedicados aos adoradores do sol. Num vale próximo, as pessoas estavam sacrificando os filhos ao deus Moloque. Todos os livros sagrados tinham desaparecido; o Deus de Abraão, de Isaque e de Jacó — o Deus de Moisés — não passava de uma lembrança muito vaga. Ao vasculhar o entulho, o sumo sacerdote achou o "Livro da Aliança", que muito provavelmente consistia em trechos de Deuteronômio.

Em 2 Reis 22–24 lemos a história dramática do que se seguiu: uma limpeza espiritual e um reavivamento com poucos precedentes na história. O rei chorou, rasgou as roupas e ordenou que a lei de Moisés fosse restaurada no país. Ao final dessa revolução da fé, Josias conclamou toda a nação para um encontro de celebração da Páscoa. "Nunca se havia celebrado tal páscoa desde os dias dos juízes que julgaram a Israel, nem em todos os dias dos reis de Israel, nem tampouco nos dias dos reis de Judá." É verdade que Moisés não conseguiu entrar na Terra Prometida, mas o seu espírito manteve-se vivo, trazendo reavivamento, esperança e salvação, literalmente falando, aos descendentes daqueles que ele conduziu até a entrada da terra.

O segundo pós-escrito aparece no Novo Testamento. Jesus conhecia bem o livro de Deuteronômio: em sua breve permanência no deserto, ele citou o livro três vezes para resistir às tentações de Satanás. Mais tarde, num ponto crucial de seu ministério, Jesus subiu numa montanha alta para ter um momento íntimo com Deus, o Pai. Como na ocasião do encontro de Moisés com Deus no monte santo, o semblante de Jesus também mudou. "Ali ele foi transfigurado diante deles. O seu rosto resplandeceu como o sol, e as suas vestes se tornaram brancas como a luz."

Pedro e João recuaram, estupefatos com a cena. Uma voz desceu como trovão do céu e de repente estavam ali, no topo da montanha, dois gigantes da história dos israelitas. Imediatamente reconheceram Elias, o austero profeta operador de milagres cujo retorno os judeus estavam aguardando. Bem ao lado — era ele, não podia ser outro — estava Moisés, entretido numa conversa descontraída com Jesus.

Pedro se empolgou tanto que, todo desajeitado, sugeriu que se levantassem tendas para persuadir os visitantes celestiais a ficar por ali. Jesus acalmou seus dois discípulos; depois conduziu-os, montanha abaixo, de volta para a terra. O milagre lhe daria novas energias e ousadia para enfrentar os dias difíceis que viriam pela frente.

A cena da transfiguração de Jesus contém um fato que muitas vezes passa despercebido aos cristãos, mas é significativo para qualquer judeu. Naquele momento de misericórdia, Moisés finalmente concretizou o sonho de sua vida. Ficou de pé no topo de uma montanha bem no meio da Terra Prometida. De fato, Deus se lembra dos que são pó, os mais humildes e os mais ilustres.

quatro

Salmos: Espiritualidade em cada nota

QUATRO

Salmos: Espiritualidade em cada nota

Embora para muitos dos que estão em busca de algo os salmos tenham sido fonte de instrução e consolo espiritual, também têm deixado pessoas desnorteadas e em desconforto. Há uma desordem, uma turbulência, uma contracorrente de mistério nessas orações antigas.

— John S. Mogabgab

Tenho uma coisa a confessar. Durante anos evitei o livro de Salmos. Eu sabia que se tratava do livro predileto de muitos cristãos, que a igreja tinha incorporado esses poemas em sua adoração comunitária e que certas expressões de Salmos da *Versão do Rei Tiago* tinham transbordado para o uso diário da língua inglesa. Ainda hoje, muitas edições do Novo Testamento incluem o livro de Salmos, como se representasse parte essencial de nossa fé. Mesmo assim, por mais que tentasse, jamais consegui me empolgar o suficiente para ler os Salmos.

Pessoas a minha volta usavam o livro como uma caixa de remédios espirituais — "Quando estiver deprimido, leia o salmo 37; quando sua saúde estiver debilitada, leia o salmo 121" — método que nunca funcionou para mim. Com estranha regularidade, eu acabava escolhendo um salmo que agravava o meu problema em vez de resolvê-lo. Martin Marty avalia que pelo menos metade dos salmos apresenta um tom "gélido", e, quando me sentia meio desanimado, ao acaso abria um desses salmos mais "gélidos" e acabava invernalmente deprimido. "A duração da nossa vida é de setenta anos, e se alguns, pela sua robustez, chegam a oitenta anos, o melhor deles é canseira e enfado, pois passam rapidamente, e nós voamos", Moisés escreveu.

Preocupado com essa minha atitude negativa, certo verão fiz uma experiência. Segundo minha agenda, deveria passar o mês de junho em Breckenridge, Colorado, uma bela cidade digna de um cartão postal, situada a mais de três mil metros de altitude, nas Montanhas Rochosas. Decidi acordar cedo todas as manhãs, pegar o carro e sair alguns quilômetros da cidade, dirigindo-me a algum lugar deserto e ainda intocado pela civilização para ali ler dez salmos de uma vez. Pensava que certamente o alvorecer nas montanhas, com aquele cenário magnífico para as minhas meditações, derreteria a barreira que sempre me impedira de ler os Salmos.

Cada dia eu ouvia os pássaros dar os avisos de despertar e via como o sol fazia os montículos de neve ficarem cor-de-rosa, depois laranja e então resplendentemente brancos. Um dia estava sentado ao lado de um lago e vi uma família de castores fazendo uma série de consertos em barragens bem complexas. Outra vez, um veado de uma espécie rara passou bem próximo de mim e bebeu água em um riacho da montanha. É preciso dizer que essa experiência transformou a minha atitude em relação aos Salmos. Saí de lá com lembranças visuais espetaculares e com nova disposição para adorar. No entanto — ai de mim! —, ao ler o livro de Salmos fiquei mais frustrado que inspirado.

Mais do que qualquer coisa, fiquei confuso quando li os Salmos, ainda mais por ter me comprometido a ler dez de cada vez. Cada salmo parecia contradizer o outro violentamente: salmos de angústia deprimente estavam lado a lado com salmos de alegria contagiante, como se os escribas os tivessem organizado com um senso hegeliano de humor negro. No primeiro dia, por exemplo, meu espírito se enlevou ao ler o salmo 8:

> Quando vejo os teus céus,
> obra dos teus dedos,
> e a lua e as estrelas
> que preparaste,
> que é o homem mortal para que te lembres dele?
> e o filho do homem, para que o visites?

A lua, prateada e brilhante contra um céu azul, ainda estava suspensa acima de um pico de cinco mil metros. Na noite anterior, a

Via Láctea tinha se estendido pelo céu como uma auto-estrada de luzes. Em meio à imponência e à amplitude do cenário alpino, eu refletia, maravilhado, junto com o salmista, sobre o nosso papel privilegiado no drama da criação.

O salmo seguinte continuava no mesmo espírito, louvando a Deus por seu governo eterno, sua justiça em julgar o mundo, sua misericórdia para com os oprimidos, sua confiabilidade. Então, de repente, no salmo 10, o tom muda de forma brusca. Justamente antes de terminar a minha meditação dei com essas palavras duras:

> Por que, ó Senhor? te conservas longe?
> Por que te escondes nos tempos de angústia

Com base nessas dúvidas, o salmista mergulha numa descrição cruel do "ímpio", e exige de Deus: "Quebranta o braço do ímpio e do malvado". Aí acabou meu estado sereno e minha atitude de adoração. Para complicar a questão, vi numa Bíblia de estudos que os salmos 9 e 10 talvez fossem um único salmo na origem, ou seja, havia tons contraditórios e conflitantes num mesmo salmo.

Todos os dias enfrentava esse mesmo padrão de flagrante contradição. Em vez de começar o dia com uma paz devocional, sentia-me arrastado por uma montanha russa de emoções, mergulhando nas profundezas do desespero e subindo às alturas da adoração, tudo isso no mesmo período de uma hora. Isso tudo, associado ao ar rarefeito da montanha e a uma provável overdose de café, deixava-me levemente tonto o restante do dia.

Depois de uma semana desse exercício, topei com ainda outro problema. Os salmos estavam começando a soar monótonos e repetitivos. Eu ficava perguntando para mim mesmo por que a Bíblia precisava incluir 150 salmos. Será que com 15 não daria para corresponder ao conteúdo básico? Batalhei e consegui ler dez salmos por dia, mas saí de Breckenridge com uma atitude ainda pior em relação aos Salmos. Meu experimento tinha falhado. Com a consciência "evangelicamente" pesada, eu mesmo assumi a culpa; não culpei a Bíblia pelo fracasso.

De volta às planícies do Illinois, tentei outro método: estudar o livro de modo sistemático. Aprendi a apreciar a arte poética do paralelismo hebraico e da estrutura acróstica. Aprendi a distinguir os diferentes tipos de salmos: salmos imprecatórios, salmos de lamento, cânticos dos degraus, salmos régios, salmos de ação de graças. Aprendi as várias maneiras de explicar os salmos problemáticos. Depois de adquirir todo esse conhecimento, li os salmos com maior compreensão, mas não com maior prazer. Por conseguinte, por anos simplesmente evitei o livro. Segundo o meu raciocínio, era possível achar um salmo que dissesse qualquer coisa. Aliás, podia-se achar uma dúzia de salmos que diziam a mesma coisa. Por que se incomodar com eles?

Lendo por cima dos ombros de alguém

Percebo agora como era pobre essa concepção. Em minha obsessão pelos detalhes dos salmos — os tipos, o significado, a coerência lógica, a forma poética —, eu tinha perdido o ponto principal, o fato de que o livro consiste numa amostra de diários espirituais, muito à semelhança de cartas pessoais dirigidas a Deus. Tinha me faltado um prisma pelo qual ver o livro. Tenho de lê-los como que por cima dos ombros de alguém, pois o público-alvo não era outro senão o próprio Deus. Até mesmo os salmos para uso em público foram preparados como orações coletivas: desses salmos, Deus também era o destinário principal.

Parece-me que eu vinha inconscientemente tentando enquadrar os salmos na estrutura escriturística estabelecida pelo apóstolo Paulo. Contudo, os salmos não são pronunciamentos do alto, apresentados com autoridade apostólica em questões de fé e prática. São orações pessoais em forma de poesia, escritas por uma variedade de pessoas — camponeses, reis, músicos profissionais, amadores — em estados de espírito violentamente flutuantes. Jó e Deuteronômio proporcionam dois casos extraordinários de dois homens renomados e justos que tentavam se relacionar com Deus em momentos difíceis. O livro de Salmos dá exemplos de pessoas "comuns", lutando freneticamente para harmonizar a crença que nutrem a respeito de Deus com o que estão experimentando no dia-a-dia. Às vezes os autores são vingativos, às vezes tentam se justificar, outras vezes são paranóicos ou mesquinhos.

Não me entenda mal: não penso que Salmos seja um livro de menor valor, ou menos inspirado do que as cartas de Paulo ou os evangelhos. Mesmo assim, os salmos usam uma forma intrinsecamente distinta de tratar os assuntos da fé. Nesse livro vemos que não é tanto Deus que está sendo apresentado ao povo, mas são as pessoas que se apresentam a ele. Não resta dúvida, Salmos pertence à Palavra de Deus, mas da mesma forma que Jó e Eclesiastes. Lemos os discursos dos amigos de Jó — registros fiéis de pensamento mal-orientado —, não da mesma forma que o Sermão do Monte. "Os salmos não teologizam", escreve Kathleen Norris em *The cloister walk*. "Um dos motivos é que os salmos são poesia, e a função da poesia não é explicar, mas oferecer imagens e histórias que estejam em ressonância com a nossa vida", ela diz.

Entender essa distinção fez com que eu mudasse a forma de ler Salmos. Primeiro, eu tinha me achegado ao livro da mesma forma que um pós-graduado se aproxima de um compêndio: fazia uma leitura dinâmica dos poemas à procura de CONCEITOS CORRETOS E IMPORTANTES a ser destacados e ordenadamente classificados. Os salmos resistem a esse tipo de sistematização e, no meu entender, levarão à loucura qualquer pessoa que tente extrair de suas páginas um arcabouço rígido. Aprendi a analisar o livro de forma muitíssimo diferente.

Vou ilustrar isso. Meu pai faleceu quando eu tinha treze meses de vida. Não tenho nenhuma lembrança consciente dele e poucos objetos ou símbolos que me permitam recordar sua breve passagem por esta vida. Guardo com carinho algumas fotos manchadas e amareladas dele segurando um bebê gordinho e com cachos dourados — eu —, além de uma estátua tosca que ele esculpira quando menino e alguns livros de sua biblioteca, entre eles uma *Bíblia de referência Scofield*, preta e bem desgastada pelo uso. Até hoje ainda posso colher algumas informações sobre o relacionamento de meu pai com Deus por meio das notas nas margens daquela Bíblia, pois ele usava o espaço em branco para anotar uma espécie de diário espiritual. Ele nunca pensou em mim quando escreveu aquelas observações, porque eu ainda não existia. Mesmo assim, muitos anos depois, posso ser estimulado, desafiado e quebrantado ao ler sobre o relacionamento dele com Deus.

É lógico que os Salmos são mais formais do que as observações rabiscadas de meu pai. São todos frutos de um contexto comum, o relacionamento pactual de Deus com Israel, e os autores exprimiam suas idéias numa estrutura poética bela e muitas vezes altamente estruturada. Agora, ao lê-los, começo a me projetar de volta no tempo, para dentro da mente desses autores — da mesma forma que me projeto para a mente de meu pai quando leio suas observações fragmentárias. *Será que poderia fazer eu mesmo essas orações?* — me pergunto. *Será que já senti esse tipo particular de angústia? Será que já explodi assim em louvor?* Então prossigo e penso em situações em que poderia fazer do salmo que tenho diante de mim a minha própria oração. Ao enfrentar a tentação, ao comemorar o sucesso, ao guardar uma amargura, ao sofrer uma injustiça — a que circunstâncias de minha vida esse salmo mais se aplica?

Qualquer dos salmos, extraído do restante do livro, pode conduzir a um engano. Numa reflexão profunda sobre o salmo 91 publicada na *Christianity Today*, Neal Plantinga analisa a bela imagem da proteção de Deus que o salmo descreve: "Ele te cobrirá com as suas penas, e debaixo das suas asas estarás seguro [...] Se fizeres do Senhor o teu refúgio, e do Altíssimo a tua habitação, nenhum mal te sucederá...". "Ah é?", Plantinga pondera. E que dizer dos cristãos presos pelos nazistas na Segunda Guerra Mundial, ou pelos governos islâmicos hostis dos dias atuais? Como esse salmo deve ser entendido na véspera da execução? As arrebatadoras promessas de segurança presentes nos Salmos parecem descaradamente falsas.

Plantinga lembra que o próprio Satanás citou esse salmo, tirando-o do contexto, na tentativa de fazer Jesus pular de um lugar alto. Jesus exortou Satanás com outra passagem das Escrituras. E, como Plantinga diz:

> O que o salmo 91 faz é expressar *um* — dos mais belos e apreciados —, mas somente um estado de espírito da fé. É um estado de

> espírito de confiança exuberante na proteção e na segurança de Deus. Provavelmente o salmista foi protegido por Deus numa situação de perigo, e está celebrando.
>
> Em outros dias e com outros estados de espírito — em épocas mais sombrias da vida —, esse mesmo salmista provavelmente gritou a Deus em desespero, com o sentimento de ter sido abandonado. [Aqui Plantinga cita o grito de Jesus na cruz com base no salmo 22.]
>
> O salmo 91 dá somente parte do quadro e apenas um dos estados de espírito da fé. Com um tipo de admiração silenciosa, o salmista dá testemunho do fato de que, sob as asas de Deus, coisas boas acontecem a pessoas más. É necessário mais um salmo ou dois para completar o quadro e gritar que, sob essas mesmas asas, coisas ruins às vezes acontecem a pessoas boas.

O livro de Salmos, situado exatamente no meio de nossa Bíblia, proporciona um registro abrangente da vida com Deus por meio de relatos individualizados a respeito do funcionamento da vida espiritual. Não me aproximo dos salmos em primeiro lugar como aluno em busca de mais conhecimento, mas como um co-peregrino em busca de relacionamento. O primeiro e maior mandamento é amar a Deus com todo o nosso coração, com toda a nossa alma e com todo o nosso entendimento. Como nenhum outro livro da Bíblia, Salmos mostra como é o relacionamento com Deus de alguém de coração apaixonado, de alma faminta e de mente não dividida.

Bagunçado e desorganizado, como a vida

A poesia expressa a sua magia de forma sutil. Nos dias de hoje, pelo menos, raras vezes buscamos a poesia com objetivos didáticos, para aprender alguma coisa. Vamos à poesia porque a modelação de palavras e imagens por parte do poeta dá prazer e mexe com as nossas emoções. No entanto, se o poeta lograr êxito, talvez ganhemos algo mais do que conhecimento: uma visão transformada. Essa é a magia que os Salmos acabaram exercendo sobre mim. Transformaram minha visão espiritual e minha concepção acerca do relacionamento com Deus.

Basicamente, os salmos me ajudam a conciliar aquilo em que creio sobre a vida com o que de fato encontro na vida. Quando era menino aprendi esta oração de gratidão pelas refeições: "Deus é grande. Deus é bom. Graças damos pelo pão". A cadência dessa oração tem certo encantamento, e poderia até ter saído do livro de Salmos. O que poderia ser mais simples do que isto: duas afirmações teológicas fundamentais e uma atitude de gratidão, tudo comodamente expresso por meio de palavras curtas e simples?

Preciso dizer, no entanto, que fazer essa oração simples com convicção e sinceridade tem sido um teste de fé abraâmico. Deus é grande? Por que não vemos evidências mais fortes disso? Por que será que é menos provável que os cientistas, que ganham a vida estudando as maravilhas da criação, atribuam essas maravilhas a Deus do que camponeses analfabetos? Por que será que nosso século vem sendo tão amaldiçoado por uma sucessão de tiranos ateus: Stalin, Hitler, Idi Amim, Pol Pot? Por que mais cristãos morreram por causa de sua fé neste século do que em todos os séculos anteriores somados?

Deus é bom? Por que meu pai, um homem de um potencial ilimitado como missionário, morreu antes de chegar aos trinta anos? Por que todos aqueles cristãos e judeus morreram injustamente no holocausto? Por que a parcela mais religiosa da sociedade americana, os negros das áreas centrais das grandes cidades, são também os mais pobres e desesperançados?

Agradecer-lhe o pão? Continuei fazendo essa oração mesmo nos anos levados da adolescência, quando dava mais crédito aos rios abundantes da América e à esperteza dos agricultores. Mas o que dizer dos cristãos no Sudão ou em Moçambique? Como podem agradecer a Deus se estão morrendo de fome?

Se a leitura desses últimos parágrafos lhe trouxe desconforto, talvez você deva ler Salmos de novo. Esse livro contém os diários angustiantes de pessoas que queriam crer num Deus amoroso, misericordioso e fiel, enquanto o mundo continuava desabando à sua volta.

Os salmistas em muitos lugares oferecem variações sobre os temas que mencionei. Por que esses detestáveis amalequitas, heteus, filisteus, cananeus, sem falar dos obstinados assírios, babilônios e persas, ficaram esmagando um após o outro o *povo escolhido de Deus*? Por que Davi, a quem Deus havia ungido rei, teve de se esconder em cavernas durante uma década, esquivando-se das lanças de Saul, a quem Deus tinha ordenado que deixasse o trono? Como o povo de Deus pode se sentir grato quando parece haver tão poucos motivos para isso?

Muitos salmos mostram seus autores lutando bravamente com essas questões. Às vezes o poeta acha uma forma de harmonizar as emoções de sua fé com as doutrinas da fé no momento em que está escrevendo o salmo. Exatamente como Moisés, na hora de fazer os discursos de Deuteronômio, o povo recapitula o envolvimento de Deus na história de Israel, forçando-se a lembrar dos bons tempos.

> Buscai ao Senhor, e a sua força;
> buscai a sua face continuamente.
> Lembrai-vos das maravilhas que ele fez,
> dos seus prodígios e dos juízos
> da sua boca (105.4,5).

O salmo 62 insiste, audaciosamente e sem explicação, em dois fatos que Jó nunca conseguiu conciliar: "... que o poder pertence a Deus, e a ti, Senhor, pertence o amor". Às vezes, no entanto, os poetas não conseguem dar sentido ao que estão dizendo, e os salmistas acabam se tornando muito parecidos com Jó:

> Estou cansado de clamar;
> secou-se-me a garganta.
> Os meus olhos desfalecem
> de esperar por meu Deus (69.3).

Nessa altura observa-se a ordem aparentemente aleatória dos 150 salmos, pois o ciclo de intimidade e despreocupação na forma vaivém é, na verdade, o que a maioria das pessoas experimenta no seu relacionamento com Deus.

A justaposição mais marcante de salmos "contraditórios" aparece logo no início do livro. O salmo 23, aquele cântico pastoril de promessas arrebatadoras e de extremo consolo segue o salmo 22, que abre com as palavras que Jesus usou ao clamar na cruz: "Deus meu, Deus meu, por que me desamparaste?". Os dois salmos, ambos atribuídos a Davi, não poderiam formar um contraste mais claro. É verdade que Davi acha um tipo de solução no salmo 22, ao divisar um futuro em que Deus governará as nações e os pobres ganharão sua parte. Mas ele deixa bem claro o que está sentindo no momento em que escreve : "Deus meu, eu clamo de dia, mas tu não me ouves [...] Mas eu sou verme e não homem [...] Abrem contra mim as bocas, como um leão que despedaça e que ruge [...] e todos os meus ossos se desconjuntaram [...] e a língua se me apega ao paladar; tu me puseste no pó da morte". Essas manifestações parecem vir de outro planeta quando viramos a página e lemos: "O Senhor é o meu pastor; nada me faltará. [...] Certamente que a bondade e o amor me seguirão todos os dias da minha vida".

Um tom discordante como esse marca também os salmos 102 e 103. O primeiro, intitulado "Oração do aflito que, ao desfalecer, derrama o seu lamento perante o Senhor", expressa de forma eloqüente o desespero de um homem que está envelhecendo, enfraquecendo e se sente abandonado por todos os seus amigos e por Deus. Parece uma relação de dores rabiscada por um paciente de hospital em estado febril. O salmo seguinte, no entanto, um cântico majestoso de louvor, não apresenta nenhum acorde menor sequer.

Duvido que um pastor queira escolher uma dessas seqüências de salmos para pregar — ou um, ou outro, mas dificilmente os dois. Aprendi a gostar de Salmos exatamente porque abrange as duas concepções, muitas vezes sem uma transição tranqüila. "Bendize, ó minha alma, ao Senhor, e não te esqueças de nem um só dos seus benefícios", diz o salmo 103. O autor do vizinho mais próximo está tentando desesperadamente lembrar os benefícios de Deus, tarefa pouco fácil nas suas condições, com ossos ardendo como na fornalha, numa dieta de cinzas e lágrimas.

Eu, de minha parte, estou feliz que a Bíblia inclua os dois tipos de salmos. Poderão vir tempos em que eu me sinta como o autor dos salmos 22 ou 102, e, quando isso acontecer, me consolarei com o fato de que gigantes espirituais — entre eles, o próprio Jesus — também se sentiram assim. E, mesmo que eu talvez gema, e grite, e resista à provação que está me emaranhando em sua rede, também tentarei lembrar a mensagem serena dos salmos 23 e 103. O salmo 23, lido separadamente, conduz a uma fé de respostas fáceis; o salmo 22, fora de contexto, leva ao desespero espiritual; juntos, os dois oferecem uma mistura revigorante de realismo e esperança.

Tenho descoberto que esses salmos estão desafiando a diferentes tipos de fé. O salmo 23 forja a fé como de criança, e o salmo 22 modela a fidelidade, um tipo de fé mais profundo e misterioso. A vida com Deus pode incluir os dois tipos. Às vezes experimentamos momentos de rara proximidade, quando as orações são atendidas de forma inequívoca e Deus parece íntimo e atencioso. Mas também experimentamos dias negros, em que Deus se cala, em que nada funciona de acordo com as fórmulas e todas as promessas da Bíblia parecem descaradamente falsas. Um dos aspectos da fidelidade é aprender a confiar que, para além dos perímetros da escuridão, Deus ainda reina e não nos abandonou, não importam as aparências.

Os 150 salmos são tão difíceis, desordenados e bagunçados quanto a própria vida, fato que pode gerar um consolo inesperado. Kathleen Norris escreve em *The cloister walk* que aprendeu a trazer os salmos para situações do dia-a-dia "orando as notícias":

> O lamento do salmo 74 sobre a violação de espaços sagrados — "... porque os lugares tenebrosos da terra estão cheios de moradas de violência" — tornou-se para mim uma oração pelas vítimas e autores de violência doméstica. Ao assistir gravações das revoltas em Los Angeles no início de 1992, percebi que tinha um novo contexto para as palavras do salmo 55 que ouvi entoadas na manhã seguinte pelo coral do mosteiro: "... pois vejo violência e contenda na cidade". Ouvir o salmo 79 ("Derramaram o sangue deles como água ao redor de Jerusalém, e não houve quem os sepultasse") e ler sobre a guerra civil nos Bálcãs me obriga a refletir sobre o mal que os conflitos tribais e a violência continuam infligindo ao mundo, muitas vezes, justificado pela religião.
>
> Mas o realismo implacável dos salmos não é deprimente como o noticiário da TV, mesmo que muitos fatos semelhantes sejam transmitidos: massacres, injustiças com os indefesos, pessoas julgadas em público por línguas maldosas. Como livro de louvor,

> feito para ser cantado, o Saltério contém a esperança que as histórias da vida real contadas nos noticiários não podem oferecer. Os salmos espelham o nosso mundo, mas não permitem que nos tornemos *voyeurs*. Numa sociedade que não está disposta a enxergar sua própria violência, os salmos nos forçam a reconhecer a nossa responsabilidade na violência. Fazem-nos rever nossos valores.

Eis o que o livro de Salmos pode fazer por uma pessoa em desespero. Em 1977, no auge da Guerra Fria, Anatoly Shcharansky, jovem matemático e jogador de xadrez brilhante, foi preso pela KGB por suas repetidas tentativas de emigrar para Israel. Passou treze anos no *gulag* soviético. O dia todo, Shcharansky lia e estudava os 150 salmos (em hebraico). "Que vantagem isso me traz?", ele perguntou numa carta. "Aos poucos meu sentimento de grande perda e dor se transforma em grandes esperanças."

Shcharansky, aliás, dava tanto valor ao livro de Salmos, que, quando os guardas o tiraram dele, ele se deitou na neve, imóvel, até que lhe devolvessem o livro. Durante aqueles treze anos, sua esposa viajou o mundo fazendo campanha por sua libertação. Ao aceitar um título honorífico em nome dele, ela disse a um público universitário: "Numa solitária na prisão de Chistopol, trancado e sozinho com os Salmos de Davi, Anatoly encontrou, nas efusões do rei de Israel de milhões de anos antes dele, uma forma de expressão de seus sentimentos mais profundos".

Terapia da alma

Os salmos oferecem um modelo de terapia espiritual. Quando escrevi um livro intitulado *Decepcionado com Deus,* a editora inicialmente ficou preocupada com o título, sugerindo, em vez disso, *Vencendo a decepção com Deus*. Parecia um tanto herético introduzir nas livrarias cristãs, repletas de livros sobre as maravilhas da vida cristã, um livro com título tão negativo. Mas, durante o desenvolvimento do livro, descobri que a Bíblia apresenta relatos detalhados de pessoas machucadas e decepcionadas com Deus — para não dizer mais.

Não só Jó e Moisés têm problemas com Deus; Habacuque, Jeremias e muitos outros salmistas anônimos também têm. Alguns salmos poderiam ter títulos como "Furioso com Deus", "Traído por Deus", "Abandonado por Deus", "Desesperançado em relação a Deus".

Veja alguns dos versos do salmo 89:

> Até quando, ó Senhor? Esconder-te-ás para sempre?
> Até quando arderá a tua ira como fogo?
> [...]
> Porque criarias em vão todos os filhos dos homens?

Ou repare essas manifestações do salmo 88:

> Ó Senhor, por que rejeitas a minha alma,
> e escondes de mim a tua face? [...]
> o meu amigo mais íntimo agora são as trevas.

Pode parecer estranho que escritos sagrados incluam esses cenários de fracasso espiritual, mas essa inclusão reflete na verdade um princípio importante da terapia. O conselheiro matrimonial muitas vezes adverte seus clientes: "Seu relacionamento talvez piore antes de apresentar sinais de melhora". Amarguras e ressentimentos enterrados há anos podem reaparecer. Mal-entendidos precisam ser postos para fora de forma transparente para que a verdadeira compreensão possa florescer. É verdade que os salmos, assim como a psicanálise, podem ajudar a revelar elementos neuróticos em nós.

Kathleen Norris escreve sobre uma freira católica que aconselha mulheres problemáticas — donas de casa que se sentem deslocadas, mulheres violentadas, mulheres voltando à faculdade depois de muitos anos — e descobre que os Salmos oferecem um padrão útil para a expressão de raiva que a igreja muitas vezes tenta reprimir. "Agüente firme, sorria; o sofrimento o fortalecerá", dizem alguns conselheiros espirituais — mas não é isso que dizem os salmistas. Eles não tentam abrandar a raiva por meio da racionalização, nem dão conselhos abstratos sobre a dor; em vez disso, manifestam as emoções de forma clara e audível, direcionando seus sentimentos principalmente a Deus.

Os 150 salmos apresentam um mosaico de terapia espiritual em processo. Dúvida, paranóia, instabilidade, maldade, prazer, ódio, alegria, louvor, desejo por vingança, traição — você pode encontrar tudo isso em Salmos. Esse leque tão amplo de sentimentos, que antigamente eu via como um desalinho sem esperança, agora vejo como sinal de saúde. Nos salmos aprendi que tenho o direito de levar a Deus *qualquer tipo* de sentimento que tenha em relação a ele. Não preciso disfarçar meus fracassos nem tentar limpar minha podridão; é bem melhor levar essas fraquezas a Deus, pois só ele tem o poder de curá-las.

Nenhum salmo demonstra melhor o poder de cura do que o salmo 51, atribuído a Davi depois do seu caso sórdido com Bate-Seba (v. 2Sm 11 e 12). Mesmo tendo cometido assassinato e adultério, Davi reconheceu, no final das contas: "Contra ti [Deus], contra ti somente pequei". Apesar de não ter nada para oferecer a Deus a não ser um espírito quebrantado e um coração contrito, foi exatamente essa confissão que o conduziu ao caminho da cura. Davi confessou seu pecado com lágrimas e tristeza, e esse salmo se tornou um manual público para a confissão de pecados de outros.

Walter Brueggemann cunhou a expressão "salmos de desorientação" para designar os salmos que expressam confusão, confissão e dúvida. De forma característica, o autor começa pedindo a Deus que o salve de sua situação desesperadora. Ele entrelaça imagens poéticas sobre como tem sido prejudicado, suplica a justiça de Deus e até o provoca: "Que vantagem eu tenho para você se eu morrer? Como poderia então glorificá-lo?". O simples fato de expressar esses sentimentos permite ao autor uma perspectiva melhor. Ele se lembra de tempos melhores, relembra orações respondidas no passado, reconhece favores que ele talvez não tenha notado. No final do salmo, ele passa para o louvor e ações de graça. Sente-se ouvido e purificado. O salmo, ou a oração, opera esse processo transformador.

O salmo 71 dá um exemplo de como funciona essa "terapia da realidade espiritual". As estrofes partem de pedidos urgentes de ajuda da parte de Deus, passando por declarações de fé hesitantes e chegando a novos temores acerca do futuro. No final, o poeta está glorificando a

Deus por sua fidelidade. A lembrança forçada dos milagres divinos a favor de Israel e da intimidade com Deus em outros tempos na vida do próprio salmista acalmaram, naquele momento, algumas das dúvidas fundamentais do poeta. Muitos salmos transmitem essa idéia de "Eu creio! Ajuda-me na minha falta de fé!", uma forma de nos convencermos a crer quando as emoções estão vacilando.

A estranha mistura de salmos imprecatórios [de maldição], salmos de louvor e salmos de confissão já não me irrita como antigamente. Em vez disso, estou cada vez mais impressionado com o holismo espiritual dos poetas hebreus, que tentavam incluir Deus em todas as áreas da vida, levando a ele cada sentimento experimentado nas atividades diárias. Não precisamos nos "vestir bem" e colocar máscaras para nos encontrar com Deus. Não há áreas proibidas; podemos confiar a nossa realidade a ele.

Para os poetas hebreus, Deus representava uma realidade muito mais sólida do que as próprias emoções do tipo montanha-russa ou a história maculada do seu povo. Eles lutavam com Deus a respeito de cada aspecto de sua vida, e, no final, essa luta é que comprovava e firmava a sua fé.

Tenho um amigo, Harold Fickett, que volta e meia retira-se, por vários dias seguidos, em um mosteiro próximo. Várias ordens monásticas recitam os salmos em voz alta pela manhã, ao meio-dia e à noite. Levam algumas semanas para passar o ciclo todo, quando então recomeçam com o salmo 1.* Harold me conta que às vezes a sua voz está declamando "Entrai pelas portas dele com gratidão", enquanto a sua mente está recapitulando uma observação ofensiva que ouviu no dia anterior, ou pensando sobre quando finalmente a neblina vai desaparecer da baía de São Francisco. Dia após dia ele presta atenção ao ritmo dos salmos. Nem todos se aplicam à sua situação espiritual do momento. Gradualmente, no entanto, ele entra na realidade transmitida pelos salmos, em vez de tentar forçá-los para dentro de seu próprio mundo.

* Até recentemente, cada sacerdote católico romano que dissesse o Ofício Divino, seguindo o breviário, passava por todos os salmos numa semana. Na liturgia anglicana, leva-se um mês para percorrer todos os 150 salmos. O historiador Paul Johnson cita Salmos como um dos grandes unificadores da história cristã: beneditinos e puritanos, Lutero e Xavier, Wesley, Newman e Calvino, todos amavam e continuamente recitavam os salmos.

Refletindo sobre essa experiência com os monges, Harold escreveu que

> os Salmos me fornecem as palavras de que preciso e aquelas que às vezes quero dizer ao meu Deus. Palavras que celebram sua realidade: "Os céus declaram a glória de Deus". Palavras que testemunham da ação de Deus na minha vida: "Tornaste o meu pranto em folguedo". Palavras que expressam minha total dependência: "... entreteceste-me no ventre da minha mãe". Palavras que expressam meu desejo por intimidade: "Uma coisa pedi ao Senhor, e a buscarei: que possa morar na casa do Senhor todos os dias da minha vida". Os Salmos instruem minha alma no meu amor por Deus.

Acordes de louvor

Numa área diferente, os salmos também ensinam a adorar e a louvar. E as honrarias e reverências são atitudes em que os americanos temos a má fama de ser desajeitados. Não temos a mesma tradição dos súditos britânicos, que se inclinam diante da rainha e nunca ousam interrompê-la. Nós nos sentimos melhor em satirizar os políticos em programas humorísticos do que em prestar-lhes homenagens.

Para ser bem sincero, toda essa idéia de Deus pedindo que fiquemos por aí dizendo coisas bonitas sobre ele parece algo do outro mundo. Por que Deus precisaria do nosso louvor? Somerset Maugham tinha um parente devoto que escarafunchou o *Livro de oração comunitária* e riscou tudo que dizia respeito a louvor. Ele argumentava que as pessoas se sentem mal com elogios diretos; portanto, Deus também não ia gostar disso. De forma semelhante, C. S. Lewis observou em seu *Reflections on the Psalms* [*Reflexões sobre os Salmos*]: "Não quero meu cachorro latindo em sinal de aprovação aos meus livros". Por que Deus ia querer louvores?

Lewis prossegue mostrando que a melhor maneira de conceber o louvor seria pensar em nossa reação instintiva e natural a uma grande obra de arte, ou a uma sinfonia, ou a qualquer beleza extraordinária. A reação natural é, primeiro, parar e contemplar a beleza diante da qual se está — quase ajoelhando-se diante dela — e depois divulgá-la. Essa reação de compartilhar um prazer que experimentamos funciona em vários níveis: "Uma baleia enorme veio ao encontro do nosso barco na costa da Califórnia — eu poderia ter tocado nela!"; "Ah, como gostaria que você estivesse aqui para ver a neve caindo. Ela confere tanta beleza a tudo em volta."; "O nosso time arrasou ontem, não é mesmo?".

Observo esse tipo de elogio, chegando perto da adoração, sempre que vou a um evento esportivo. Tive o privilégio de ter morado em Chicago durante os anos de auge de Michael Jordan, e assisti aos jogos do Chicago Bulls várias vezes. Horas antes do jogo, apesar do clima gelado de Chicago, os fãs faziam fila no estacionamento dos jogadores só para ver passar o superastro. Quando a sua Blazer aparecia, gritavam, pulavam, chamavam seu nome, imploravam por um autógrafo, um aceno, um toque, qualquer sinal de relação com o grandioso. Que esquisito uma cultura que tão facilmente presta reverência a Michael Jordan, e até a modelos tão negativos como Dennis Rodman ou Madonna, considerar algo estranho louvar a Deus.

O louvor leva à reação instintiva de compartilhar uma alegria (já tentou guardar para si uma piada excelente, ou o fato de que você acaba de ficar noivo?) e eleva esse sentimento mais alguns graus. "Conta-me a velha história/ Do grande Salvador [...] Pois quero penetrar/ A altura do mistério:/ Que Deus me pode amar", diz o velho hino, e o louvor é isso em parte. Assim como os fãs de um esporte, os veteranos de guerra ou colegas de escola gostam de contar e recontar as mesmas histórias muitas vezes, o louvor proporciona essa mesma oportunidade nostálgica.

Flannery O'Connor escreveu certa vez um ensaio sobre seus pavões e as reações que as pessoas tinham quando eles abriam suas penas para apresentar uma "galáxia esplêndida de sóis radiantes". Um motorista parou seu caminhão e gritou: "Vou levar um caminhão cheio disso daí". A maior parte das pessoas silenciava para observar, caladas. A reação que Flannery mais gostou foi a de uma senhora negra, idosa, que simplesmente se desmanchou em lágrimas dizendo: "Amém! Amém!". Essa mulher tinha entendido o que é louvor.

No louvor, a criatura reconhece alegremente que tudo o que é bom, verdadeiro e bonito no universo vem do Criador. A declaração tem efeito sobre nós como também sobre Deus, ao nos lembrar da nossa posição correta diante dele. Descobri que, para aprender a louvar, é bom estar perto de crianças. Elas não têm nenhum problema em explodir em elogios espontâneos quando algo as impressiona, talvez porque não tenham nenhuma pretensão de se elevar acima da posição que lhes foi designada — a de crianças.

Os autores do livro de Salmos, especialmente Davi, tinham vantagem no louvor em virtude de sua relação mais próxima com a natureza. Davi começou a vida no campo, como pastor, depois passou anos escondendo-se de Saul nos territórios rochosos de Israel. Não é de surpreender, portanto, que apareça nos seus poemas um amor enorme, quase uma reverência, pelo mundo natural. O livro de Salmos apresenta um mundo coeso, em que todas as coisas são mantidas por um Deus pessoal que supervisiona tudo.

Essa mensagem, mais que qualquer coisa, saltou aos meus olhos durante a minha frustrada tentativa de ler os salmos em Colorado. Não conseguia encaixar todas as mensagens contraditórias que estava lendo, mas o ambiente ermo espetacular em que eu estava confirmava a grandeza de Deus e a sua *dignidade*. O deserto nos faz descer um degrau, lembrando-nos de algo que talvez gostaríamos de esquecer: o fato de que somos criaturas. Comunica aos nossos sentidos o esplendor de um Deus invisível e indomável. Seria impossível não oferecer louvor àquele que inventou porcos-espinhos e alces, que plantou álamos verde-claros nas encostas de rochedos acinzentados, que transforma esse mesmo cenário cada vez que neva!

De acordo com Salmos, o louvor não precisa ser ponderado e refletido. Os salmistas louvavam a Deus com espontaneidade afetuosa, e, por isso, seus cultos de louvor e adoração com certeza eram mais parecidos com um encontrão animado de jovens do que com um concerto anestésico de uma sinfônica. "Cantai de alegria! Clamai em alta voz!", eles ordenam. Entre os instrumentos musicais daquele tempo estavam címbalos, tamborins, trombetas, buzinas, harpas e liras. Às vezes começavam a dançar. Na imaginação do salmista, o mundo não consegue conter o prazer que Deus inspira. Um novo cântico surge: "Celebrai com júbilo ao Senhor, todos os moradores da terra, e dai brados de alegrias" (98.4). A própria natureza também participa: "Os rios batam palmas, regozijem-se à uma as montanhas" (98.8).

Os salmos resolvem de forma maravilhosa o problema de uma cultura com dificuldades em louvar, provendo as palavras e expressões necessárias. A única coisa que precisamos fazer é entrar nessas palavras, permitindo que o conteúdo dos salmos reorganize nossas atitudes interiores. Dietrich Bonhoeffer disse que os salmos são o curso de idioma de Deus. Assim como uma criança aprende a língua materna com os pais, os cristãos podem aprender o idioma da oração no livro de Salmos.

"O louvor", diz Eugene Peterson,

> é a estratégia pela qual interrompemos as preocupações com nós mesmos e damos atenção à presença de Deus. Louvor e adoração consistem no tempo e no lugar que separamos para dispensar uma atenção deliberada a Deus — não porque ele esteja limitado a lugar e a tempo, mas porque a importância que damos a nós mesmos é tão traiçoeira e implácavel que, se não interrompermos intencionalmente a nossa agenda de forma regular, não há nenhuma possibilidade de darmos atenção a ele em outros momentos ou lugares.
>
> — *Leap over a wall* [*Um salto sobre o muro*]

Quando os hebreus da antigüidade encontravam algo belo ou majestoso, sua reação natural não era contemplar a cena ou analisá-la, mas louvar a Deus por aquilo e talvez escrever um poema. Seus dedos coçavam, desejosos de tocar a harpa; suas cordas vocais ansiavam cantar. O louvor, para eles, era a alegria expressa por meio de um cântico ou da fala, "o bem-estar interno fazendo-se audível", como disse C. S. Lewis. Por causa deles, também podemos entrar nesse estado de bem-estar.

> De todas as criaturas da terra e mar,
> Só o homem veio teus caminhos saber,
> Só ele sabe a pena empregar,
> Para que o teu louvor possa escrever.
>
> — George Herbert

Reorientação

Eugene Peterson, tradutor recente de Salmos, concorda que somente uma minoria dos salmos objetiva o louvor e a ação de graças; talvez 70% deles assumam a forma de lamentos. Essas duas categorias, diz Peterson, correspondem às duas principais condições em que nos encontramos: angústia e bem-estar. Nunca fiz uma pesquisa, mas suspeito que as livrarias em geral invertem as proporções: pelo menos 70% dos livros, cartazes e artigos para presente falam de nosso bem-estar, enquanto uma porcentagem bem menor é dirigida à nossa angústia.

O rei Davi deu ordens específicas para que seu povo fosse ensinado a lamentar (2Sm 1.18). O lamento de Salmos tem pouco em comum com lamúria e reclamações. Lamuriamo-nos por coisas sobre as quais temos pouco controle; lamentamos o que achamos que precisa ser mudado. Da mesma forma que Jó, os salmistas se agarravam à crença de que no final das contas Deus é bom, não importando como as coisas estivessem no momento, e clamavam por justiça. Eles lamentavam o fato de que a vontade de Deus não estivesse sendo cumprida na terra como no céu. A poesia resultante ajudava-os a reequilibrar suas crenças eternas com a experiência diária.

Dan Allender, psicólogo cristão, pergunta:

> Quando você quer verbalizar sua raiva mais intensa e irracional (quero dizer sem forma clara, inarticulada), você se dirige a quem? Você faria isso a uma pessoa que pudesse demiti-lo ou tirá-lo de uma posição ou de um relacionamento privilegiado? Não é muito provável. Você não confia nessas pessoas — você não acredita que essas pessoas suportariam a profundidade de suas decepções, de sua confusão [...] A pessoa que ouve e, mais ainda, suporta seu lamento contra ele é alguém em quem você confia profunda e imoderadamente [...] Por mais estranho que pareça, a linguagem do lamento é o lado "sombrio" da fé.

Em virtude de muitos salmos terem sido escritos por líderes de Israel, o livro oferece uma visão singular, dos bastidores do histórico emocional de um povo. Não conheço nenhuma outra coletânea de reações pessoais diante da história que seja comparável a esta. Em Salmos podemos ler sobre o conteúdo da oração de um rei depois de ter cometido adultério e homicídio, qual foi sua oração depois de escapar de uma tentativa de assassinato, depois de perder uma batalha decisiva e depois de dedicar a nova capital a Deus.

Certa vez fiz um exercício para tentar entender Davi melhor. O mesmo rei que ensinou o povo a lamentar também lhes deixou um hino excelente de confissão pública e compôs inúmeros e magníficos cânticos de louvor. Davi era tão falho como qualquer outra pessoa no Antigo Testamento e, mesmo assim, ficou conhecido como o "homem segundo o coração de Deus". João Calvino escreveu: "Davi é como um espelho, no qual Deus nos apresenta o fluxo contínuo de sua graça". Qual era o segredo espiritual de Davi?

Os 73 salmos atribuídos a ele proporcionam um vislumbre de sua alma, especialmente porque alguns têm comentários introdutórios revelando as circunstâncias reais em que foram escritos. Resolvi ler primeiro o diário espiritual de Davi, os salmos — a evidência "interna"; depois tentei imaginar que fatos "externos" teriam provocado tais palavras. Depois ainda, voltei aos relatos históricos dos livros de Samuel e aí comparava as minhas formulações com o que havia de fato acontecido.

No salmo 56 (que inclui as famosas palavras "em Deus ponho a minha confiança"), Davi dá crédito a Deus por ter livrado sua alma da morte e seus pés de tropeçar. Ao ler o salmo, tive a impressão de que Deus tinha agido de forma miraculosa e livrado Davi de alguma situação de apuro. O que tinha de fato acontecido? Fui a 1 Samuel 21 e li a história de um prisioneiro assustado, babando-se e jogando-se para cá e para lá, como um demente, na tentativa desesperada de salvar a própria pele. Não houve nenhum milagre, pelo menos até onde pude perceber, somente um desertor esperto com fortes instintos de sobrevivência. Talvez ele tenha clamado a Deus no seu desespero, e naquele momento a idéia de fingir a insanidade lhe veio à mente — se foi isso, ele deu todo o crédito a Deus. De forma surpreendente, Davi usou até o estilo acróstico para manifestar seus pensamentos, começando cada verso com a letra seguinte do alfabeto hebraico; a intenção dele foi produzir uma reflexão formal e séria sobre o que havia acontecido.

Em seguida, li o salmo 59: "A ti, ó Força minha, cantarei louvores; tu, ó Deus, és o meu alto refúgio, o meu Deus de amor". Mais uma vez, parecia que Deus interviera de forma especial para salvar a Davi. Mas, em 1 Samuel 19, a passagem correspondente, li sobre uma cena de perseguição: Davi fugiu por uma janela enquanto sua esposa despistava os perseguidores ao enrolar uma estátua em pele de cabra. Mais uma vez, o salmo de Davi atribuiu toda a glória a Deus por coisas que pareciam mera esperteza humana.

O salmo 57 introduz um tom novo, de fraqueza e tremor por parte de Davi. Sua fé devia estar bem instável quando escreveu esse salmo, imaginei. Errei de novo. Quando verifiquei os registros históricos de 1 Samuel 24, encontrei uma das maiores demonstrações de coragem e ousadia de toda a história.

O salmo 18 apresenta um resumo de toda a carreira militar de Davi. Escrito quando por fim era rei inquestionável, o salmo lembra em detalhes brilhantes os muitos milagres de livramento operados por Deus. Quem lesse somente esse salmo, sem a história que lhe serve de base, pensaria que Davi teve uma vida agradável e bem protegida. O salmo não conta nada dos anos em que ele teve de fugir, das batalhas que duravam a noite toda, das cenas de perseguição e dos bem-elaborados esquemas de fuga que enchem as páginas de 1 e 2 Samuel.

Em resumo, quem lê os salmos atribuídos a Davi e depois tenta visualizar a vida dele ficará sem a visão correta a respeito dele. É possível imaginar um eremita piedoso do outro mundo, ou uma alma tímida e neurótica favorecida por Deus, mas nunca um gigante de força e valor. O que poderia explicar a disparidade entre os dois registros bíblicos da jornada interior e exterior de Davi?

Todos experimentamos, simultaneamente, a vida interior e a exterior. Se for a um mesmo evento que você (digamos, uma festa), trarei para casa os mesmos fatos "exteriores" a respeito do que aconteceu e de quem estava lá, mas um ponto de vista "interior" totalmente diferente do seu. Minha memória vai se concentrar na impressão que causei. Fui agradável e charmoso? Ofendi alguém ou passei vergonha? A minha aparência estava boa? É bem provável que você faça essas mesmas perguntas, só que sobre você mesmo.

Parece que Davi encarava a vida de outra maneira. Seus atos heróicos — matar animais selvagens de mãos vazias, derrubar Golias, sobreviver às investidas de Saul, esmagar os filisteus — certamente lhe punham como que no papel principal. Mesmo assim, quando refletia sobre esses fatos e escrevia poemas a respeito deles, ele achava um jeito de pôr Iavé, o Deus de Israel, no centro do palco. Seja lá o que significa a expressão "exercitando a presença de Deus", Davi a experimentou. Não importando se expressava essa presença em poemas de louvor e enlevo espiritual, ou numa linguagem bem terrena, em cada situação ele intencionalmente incluía Deus nos detalhes de sua vida.

Davi tinha a certeza de que era importante para Deus. Certa vez, depois de ter escapado por um tris, escreveu: "Trouxe-me para um lugar espaçoso; livrou-me, porque tinha prazer em mim" (18.19). Quando se sentiu traído por Deus, ele disse isso ao Pai: foi ele, afinal de contas, que usou pela primeira vez as palavras "Deus meu, Deus meu, por que me desamparaste?". Ele chamou Deus à responsabilidade, insistindo em que Deus cumprisse sua parte naquele acordo especial.

Ao longo de toda a vida, Davi acreditou, e de verdade, que o mundo espiritual, mesmo que invisível para ele, era exatamente tão real quanto o mundo "natural" de espadas, lanças, cavernas e tronos. Seus salmos formam um registro dos esforços conscientes de reorientar a vida diária de acordo com a realidade desse mundo sobrenatural que existia além dele. Agora, séculos depois, podemos usar essas mesmas orações como degraus de nossa fé, um caminho que nos conduz da obsessão que temos por nós mesmos para a presença real de Deus.

Esse processo de "deixar Deus entrar" em cada detalhe da vida é algo que preciso aprender. No mundo moderno, industrializado e agitado, temos a tendência de dividir a vida em compartimentos. Enchemos nosso dia de atividades — consertando o carro, tirando férias, indo ao trabalho, cortando a grama, servindo de motorista para os filhos — e depois tentamos criar tempo para as atividades "espirituais" como igreja, grupos pequenos, momento devocional. Não vejo esse tipo de separação em Salmos.

De alguma forma, Davi e os outros poetas conseguiram fazer de Deus o centro gravitacional da vida deles, de maneira que tudo estava relacionado a Deus. Para eles, a adoração era a atividade central da vida, e não algo a ser feito para depois poderem recomeçar outra atividade. Como C. S. Lewis disse, o ideal do verdadeiro cristão é "relacionar a Deus tudo na vida, cada ato simples ou sentimento, cada experiência, quer agradável, quer não".

Estou aprendendo esse processo diário de reorientação, e o livro de Salmos passou a ser um dos passos no processo de reconhecer o verdadeiro lugar de Deus no centro gravitacional. Estou tentando tornar minhas as orações feitas primeiramente pelos poetas hebreus. Os escritores do Novo Testamento fizeram isso, ao citar Salmos mais do que qualquer outro livro do Antigo Testamento. O Filho de Deus na terra fez a mesma coisa, baseando-se neles como a linguagem do relacionamento entre o ser humano e Deus.

Tenho certeza de que fazer dos salmos as minhas orações exigirá de mim um compromisso para a vida toda. Sinto neles um quê de premência, um desejo e uma fome de Deus que faz o meu anseio parecer muito anêmico. Os salmistas tinham sede de Deus com a língua estendida para fora da boca, como uma corça suspira pelas correntes das água. Eles ficavam acordados à noite sonhando com a beleza do Senhor. Preferiam passar um dia na presença do Senhor a gastar mil anos em outro lugar. Esses poetas estavam matriculados na escola avançada da fé, e muitas vezes me sinto como se estivesse no jardim de infância. Agora que comecei a ler os salmos de novo, talvez absorva alguma coisa.

P. S.

Salmos problemáticos

Nem precisa ir muito longe no livro de Salmos para descobrir algumas passagens problemáticas, explosões furiosas escondidas como minas em meio à tranqüilizadora poesia pastoril. Algumas são do nível daquelas pixações de pátio de escola, como "Espero que um caminhão atropele você!". São chamados "salmos imprecatórios" ou, de forma menos eufemística, "salmos de maldição", em virtude das maldições que infligem sobre os inimigos.

Os salmos de maldição representam uma enorme dificuldade para a maioria dos leitores. "Como é possível ler esses salmos, próprios de uma cultura antiga e belicosa, repletos de ódio e muitas vezes de violência, quanto mais fazer deles nossas orações?", pergunta Kathleen Norris. "À primeira vista, parecem demasiadamente patriarcais, mal-humorados, moralistas, vingativos, e muitas vezes parecem refletir exatamente o que está errado no mundo."

Por que essas insurreições estão imiscuídas entre os textos sagrados? Diferentes leitores têm apresentado várias explicações.

1. Esses salmos de maldição expressam uma "ira justa" contra o mal.

O professor Allan Bloom, autor de *O declínio da cultura ocidental*, pediu aos alunos de um curso superior da Universidade de Chicago que identificassem uma pessoa má. Nem um único estudante conseguiu fazer isso. Simplesmente não existia a categoria dos "maus" na mente deles. A incapacidade de reconhecer e identificar o mal, disse Bloom, é sinal de perigo na nossa sociedade.

Tenho recebido grande ajuda nesse sentido da minha esposa, Janet, que por muitos anos trabalhou perto de um projeto habitacional na área central da cidade. Ela via o mal impregnado todos os dias: gangues assaltando pedestres nas calçadas com armas automáticas, policiais batendo em pessoas inocentes por causa da cor, ladrões roubando idosos que estavam nas filas para receber a aposentadoria.

Certa noite, Janet chegou em casa fervendo de ódio. Um zelador estava atormentando os residentes de um prédio de idosos. Ele usava um cópia da chave que detinha em seu poder para entrar nos apartamentos das viúvas, bater nelas e roubar seu dinheiro. Todo o mundo sabia quem era o vigarista, mas, como usava uma máscara e não podia ser claramente identificado, as autoridades estavam freando a transferência ou demissão dele. Se Allan Bloom tivesse pedido à minha esposa que descrevesse uma pessoa má naquele dia, teria recebido uma descrição bem realista e de forte impacto.

Era exatamente contra esse tipo de mal estrutural — juízes corruptos, donos de escravos, ladrões, opressores dos pobres, racistas, terroristas — que os salmistas estavam reagindo. O salmo 109 roga pragas sobre um homem que "perseguiu o aflito e o necessitado, como também o quebrantado de coração, para o matar. Visto que amou a maldição, ela lhe sobrevenha".

Ao ler os salmos de maldição, pense no testemunho das famílias de vítimas às vezes mostradas nos noticiários de TV. O pai de uma moça morta por um motorista bêbado está diante do juiz e, tremendo visivelmente, fala das feridas que nunca vão sarar. Senão, pense nas afirmações da família Goldman contra O. J. Simpson durante o julgamento dele. Na sua reflexão a respeito de Salmos, Dietrich Bonhoeffer não tinha nenhum problema em entender os sentimentos por trás dos salmos imprecatórios; expressavam exatamente a angústia de toda a comunidade cristã que vivia sob o regime nazista.

A explicação da "ira justa" até ilustra os motivos que levam aos salmos imprecatórios, mas não elimina todos os problemas que eles apresentam. Mesmo furiosa, Janet não ficou andando pela casa resmungando ameaças do tipo "Sejam vagabundos e mendigos os seus filhos; sejam expulsos das suas habitações assoladas" (109.10) ou "feliz aquele que pegar em teus filhos e der com eles nas pedras" (137.9).

2. Os salmos imprecatórios expressam uma imaturidade espiritual corrigida pelo Novo Testamento.

C. S. Lewis, profundamente incomodado pelos salmos imprecatórios, apresentou essa concepção em seu livro *Reflections on the Psalms*. Ele contrapôs o espírito de vingança do salmista com outro espírito — "Amai os vossos inimigos"; "Perdoa-lhes, porque não sabem o que fazem" — exemplificados no Novo Testamento. "A reação do salmista diante da dor, apesar de profundamente natural, é também profundamente errada", concluiu Lewis. Ele usa adjetivos como "diabólico", "desprezível", "brutal", "bárbaro" e "autopiedoso" para descrever esses sentimentos.

Ao perceber que não há nada comparado a esse espírito vingativo na literatura pagã, Lewis desenvolveu uma teoria um tanto complicada com respeito à eleição dos judeus. "De todos os homens maus, os homens maus religiosos são os piores", ele diz. O 'chamado sublime' dos judeus tinha conduzido ao esnobismo e à justiça própria que se expressavam de formas descabidas, como os salmos imprecatórios. Esses argumentos fizeram com que a comunidade judaica não enxergasse Lewis com muito bons olhos; há não pouco tempo, uma revista, *The Christian Century*, publicou um artigo escrito por um rabino demostrando indignação pelas observações de Lewis.

Jesus com certeza introduziu um novo espírito ("Ouvistes que foi dito [...] Eu, porém, vos digo..."). Mas, como Lewis mesmo observou, a Bíblia não mostra um progresso tão claro do Antigo Testamento para o Novo. A ordem de amar o inimigo já aparece no Antigo Testamento. Para complicar a questão um pouco mais, os autores do Novo Testamento citam, com aprovação, alguns dos salmos imprecatórios mais problemáticos. Por exemplo, Pedro aplicou uma das maldições do salmo 69 diretamente a Judas (At 1.20); Paulo aplicou outra ("Escureçam-se-lhes os olhos para não verem e encurvem-se-lhes as costas") ao incrédulo Israel. Não é tão fácil livrar-se de salmos imprecatórios.

Aliás, o estudioso britânico Deryck Sheriffs ressalta que o próprio C. S. Lewis mudou ao passar por uma provação no final de sua vida. Leia *O problema do sofrimento* e *A grief observed* [*Observando o luto*]; a mudança é inegável. O primeiro livro trata do sofrimento no campo abstrato e traz elucidações filosóficas a respeito do papel que a dor exerce na vida. Ler o segundo livro, escrito depois que sua mulher sofreu uma morte agonizante em decorrência de um câncer ósseo, é quase como ler um longo salmo imprecatório. Lewis brincou com a idéia de Deus como um Sadista Cósmico, um torturador que bate a porta na cara de quem mais precisa dele. Lewis faz a seguinte reflexão naquele diário:

> Todas aquelas idéias sobre o Sadista Cósmico não eram tanto uma expressão de pensamento, quanto de ódio. Eu estava tendo nisso o único prazer que um homem angustiado pode ter; o prazer de revidar. Era somente um jogo — mero abuso; "dizendo a Deus o que eu pensava dele".

Fico pensando o que Lewis teria escrito a respeito dos salmos imprecatórios depois de passar por aqueles momentos de provação.

3. A melhor maneira de entender os salmos imprecatórios é considerá-los orações.

Os salmos imprecatórios assumem uma aparência consideravelmente diferente quando nos lembramos do seu contexto literário: nós, leitores, estamos ouvindo por acaso orações dirigidas a Deus. Vistos dessa maneira, os salmos imprecatórios demonstram o que chamei de "terapia espiritual" levada ao extremo. Como Dorothy Sayers disse certa vez, todos temos pensamentos diabólicos, mas há uma diferença abismal entre reagir com *palavras* e reagir com *atos;* entre, por exemplo, escrever um romance policial tratando de um assassinato e cometer um assassinato.

Se uma pessoa me prejudica de forma injusta, tenho várias opções. Posso buscar vingança pessoal, reação condenada pela Bíblia. Posso negar ou suprimir meus sentimentos por estar machucado ou com raiva. Ou posso levar esses sentimentos a Deus, confiando a ele a tarefa da "justiça punitiva". Os salmos imprecatórios são exemplos vívidos dessa última opção. "A mim pertence a vingança; eu retribuirei", diz o Senhor — orações como os salmos imprecatórios deixam a vingança nas mãos certas. É significativo notar que os salmos imprecatórios expressam sua indignação a Deus, não ao inimigo.

Kathleen Norris, que se debateu muito com o tema dos salmos imprecatórios em seu livro *The cloister walk*, conseguiu chegar a uma conciliação no seu livro posterior *Amazing grace*. Ali ela conta como convidou alunos de escolas da região a escrever eles mesmos os seus salmos imprecatórios. Os alunos atormentados em casa pelo irmão ou pela irmã mais velha têm um talento natural para a imprecação, como ela descobriu:

> Um menino escreveu um poema intitulado *O monstro arrependido*. Ele começou dizendo que odiava quando seu pai gritava com ele; sua reação no poema é jogar a irmã escada abaixo, quebrar tudo no quarto e depois sair pela cidade quebrando tudo o que encontra pela frente. Ele conclui o poema assim: "Aí eu sento na minha casa toda bagunçada e digo pra mim mesmo: 'Eu não devia ter feito tudo isso'".

Se esse menino tivesse sido um noviço num mosteiro desértico, do século IV, acrescenta Norris, seus superiores provavelmente o teriam julgado "alguém a caminho do arrependimento". Ele já tinha se conscientizado das renovações necessárias na "casa bagunçada" para que se transformasse numa casa em que Deus pudesse morar.

Por instinto queremos fazer uma faxina nos sentimentos por meio das nossas orações, mas provavelmente invertemos a ordem. Talvez devêssemos nos esforçar em levar todos os nossos piores sentimentos a Deus. Afinal, o que seria fofoca se revelado a outras pessoas passaria a ser petição quando levado a Deus. O que seria uma maldição vingativa quando dita a respeito de alguém ("Vão pro inferno aqueles caras!") passaria a ser um clamor de dependência completa quando dito diretamente a Deus ("Deus, o problema é teu em mandar aqueles caras pro inferno, pois só tu és um juiz justo").

Tenho feito disso um costume semanal: dou uma longa caminhada na colina atrás de onde moramos para apresentar a Deus a minha raiva contra as pessoas que me prejudicaram. Cito todas as razões que fazem com que me sinta prejudicado, forçando-me a abrir sentimentos profundos diante dele (e Deus já não os conhece assim mesmo?). Posso testemunhar que o simples fato de derramá-los já tem um efeito terapêutico. Geralmente volto me sentindo como se tivesse descarregado um peso enorme. A injustiça já não está em meu coração como um espinho, como estava antes; expressei tudo em voz audível a alguém — a Deus. Às vezes descubro que, enquanto ponho os sentimentos para fora, cresço em compaixão. O Espírito de Deus fala a mim sobre meu egoísmo, meu espírito crítico, minhas falhas que outros trataram com graça e perdão, meu ponto de vista mesquinho e limitado.

Miroslav Volf — um natural da Croácia que ensinou teologia lá durante a guerra na antiga Iugoslávia e que aprendeu a se identificar com os salmos imprecatórios de forma muito pessoal — explica em *Exclusion and embrace* [*Exclusão e acolhimento*] como esses salmos podem na verdade conduzir ao perdão.

> Para os seguidores do Messias crucificado, a mensagem principal dos salmos imprecatórios é esta: a raiva precisa estar diante de Deus [...] Não se trata meramente de uma descarga catártica de agressividade reprimida diante do Todo-Poderoso, que deve ter sua importância. Algo muito mais significativo se passa: ao colocarmos a raiva diante de Deus, colocamos tanto o nosso inimigo

> injusto quanto nós mesmos, com o nosso ser vingativo, face a face com um Deus que ama e faz justiça. Escondido nos recônditos escuros de nosso coração e alimentado pelo sistema das trevas, o ódio cresce e tenta infestar tudo com a sua vontade infernal de exclusão. À luz da justiça e do amor de Deus, entretanto, o ódio mirra e a semente para o milagre do perdão é plantada.

Gradualmente a minha prática semanal tem se expandido de uma concentração em mim mesmo para a sensibilidade para com os que me cercam. Em certas semanas, não tenho nenhum sentimento superficial de vingança ou de ressentimento. Mas será que não posso usar esses salmos em relação a outros que estão sofrendo? Que fazer a respeito de países que foram atormentados por furacões, enchentes, ou secas? Será que há cristãos lá orando os salmos da desolação? E o meu amigo que está lutando contra o câncer? Aquela mulher que vive com um marido violento? Um alcoólatra que não consegue ter vitória? Será que os salmos difíceis podem me ajudar a entrar em suas lutas e talvez fazer essas orações a favor deles?

Uma das razões que me levam a entender esses salmos imprecatórios dessa forma é que li o final da história no livro de Apocalipse. Naquele livro temos um visão prévia do tempo em que o mais radical dos salmos imprecatórios se tornará verdade. Até o mais chocante, o salmo 137, se cumprirá: "Com igual ímpeto será lançada Babilônia, a grande cidade, e nunca mais será achada" (Ap 18.21). A justiça reinará soberana um dia, e o processo que levará a esse dia exigirá uma violência cataclísmica contra o mal.

Vejo os salmos imprecatórios como um modelo importante de como lidar com o mal e a injustiça. Não devo tentar reprimir a minha reação diante do horror e da repulsa pelo mal. Nem devo tentar fazer justiça com as próprias mãos. Pelo contrário, devo entregar esses sentimentos, exatamente como são, a Deus. Como mostram claramente os livros de Jó, Jeremias e Habacuque, Deus tem um limite de tolerância muito amplo para o que é cabível dizer nas orações. Deus sabe "lidar" com o meu ódio descontrolado. Posso até achar que os meus sentimentos de vingança precisam da correção de Deus — mas só levando esses sentimentos a Deus é que terei a oportunidade de ser corrigido e curado.

cinco

Eclesiastes: O fim da sabedoria

CINCO

Eclesiastes: O fim da sabedoria

Eclesiastes é, em certo sentido, a expressão clássica do tédio extremo, se bem que o tédio é apresentado ali num contraponto tão elevado, que sua expressão se torna algo emocionante. Ninguém que tenha prazer em Eclesiastes pode ficar tão entediado quanto Eclesiastes.

— Charles Williams

A primeira vez que vi a palavra foi na capa vermelho-brilhante de um livro que meu irmão mais velho trouxera para casa da faculdade: *Existentialism today* [*Existencialismo hoje*]. Apesar de não ter idéia do que significava *existencialismo*, aquele livro me indicou o caminho para o mundo misterioso da filosofia de vanguarda. Eu tinha crescido no fundamentalismo inquestionável, protegido da exposição a poluentes tão perigosos; a cultura vanguardista de Paris era tão estranha para mim, quanto, por exemplo, a de Uagadugu, capital de Burkina Fasso, na África. Mesmo assim, quando adolescente, na década de sessenta, li aquele livro de capa vermelha e parti para experimentar os romances de Camus e Sartre. Então, algo em mim se agitou para a vida.

Emoções contidas, uma indiferença radical em relação às outras pessoas, a sensação de estar à deriva, insensibilidade à dor, aceitação resignada de um mundo que enlouqueceu — todas essas características tinham de alguma forma passado pelo escudo hermético do fundamentalismo. *Isto é o que sou!* — pensava à medida que lia cada livro existencialista. Eu era, de fato, um fruto do meu tempo.

Olhando para trás hoje, posso ver que me identifiquei principalmente com o desespero. Por que estou vivendo? O que significa todo esse circo? Uma entre seis bilhões de pessoas pode fazer alguma diferença neste planeta? Essas questões me atormentaram como ondas do mar quando li os romancistas franceses, depois Hemingway e Turgueniev. Todas as questões turbulentas da década de sessenta me assolaram, e o existencialismo me proporcionou uma resposta sofrível ao insistir em que não há resposta. Continuei lendo e descobri que a literatura mais recente — John Updike, Kurt Vonnegut Jr., John Irving, Jerzy Kosinski e Walker Percy — exalava o mesmo odor de inutilidade, um cheiro tão desagradável quanto a fumaça de um velho cachimbo.

"Não faz diferença se a pessoa morre aos trinta ou aos setenta", diz Meursault em *O estrangeiro*, de Camus, "pois em todo caso outros homens e mulheres vão continuar vivendo, e o mundo continuará como sempre". Na verdade, que diferença faz qualquer coisa? Não faz diferença se nos levantamos ou ficamos na cama, se amamos a vida ou a odiamos. Se damos uma facada na própria mão — como o Mathieu de Sartre —, atiramos numa pessoa sob o sol quente da Argélia — como o "estrangeiro" de Camus — ou simplesmente caminhamos de um bar a outro do jeito "hemingwayano", procurando brigas. A vida continua, quer nos esforcemos para mudá-la, quer simplesmente sucumbamos a ela. O que é o ser humano se não uma minúscula mancha nos bilhões de anos da história?

Esse é o beco sem saída da literatura moderna, um dilema com o qual me deliciei por um tempo. Carl Jung afirmou certa vez que um terço de seus pacientes sofria de neuroses impossíveis de ser definidas, a não ser o que poderia chamar de "falta de sentido e vazio da vida". Depois chamou a falta de sentido de "neurose geral da era moderna", uma vez que as pessoas se torturam com questões que nem a filosofia, nem a teologia podem responder.

Mesmo agora, décadas mais tarde, posso escorregar novamente a um estado de espírito existencialista. Quando viajo para outros países, por exemplo, perco algum tipo de vínculo com a realidade e parece que flutuo acima da humanidade, observando num platô solitário quanto as pessoas no Japão, no Egito ou em qualquer outro lugar estão levando a vida (como a minha, pelo menos em alguns aspectos) de forma previsível. As crianças aprendem a se comunicar conversando sobre fazer cocô e xixi, depois crescem e se tornam adultos reprimidos, aí produzem seus filhos do nada (a não ser seus próprios corpos) e depois, na idade senil, retomam a conversa sobre fazer cocô e xixi. Qual é o objetivo dessa ciranda? Em que somos diferentes dos outros animais? Somos mais espertos que as formigas, é verdade, mas muito menos cooperadores. Por que estamos aqui?

Certa vez G. K. Chesterton escreveu: "Todos os seres humanos são importantes. Você é importante. Eu sou importante. E esse é o aspecto da teologia mais difícil de acreditar".

O primeiro existencialista

Alguns anos depois do meu choque juvenil com o existencialismo e depois de Deus ter começado a curar alguns dos meus sentimentos de inutilidade e desespero, descobri com um susto de arrepiar exatamente os mesmos sentimentos, imagine onde... no centro da Bíblia. O livro misterioso e muitas vezes desprezado de Eclesiastes contém cada uma das idéias e das emoções com que eu tinha deparado nos escritores da desesperança existencialista. Seu autor, o anônimo Pregador, emerge como uma personagem maior que a vida, a mais sábia, a mais rica, o homem mais poderoso de seus dias. Já a primeira série de frases declara sua conclusão a respeito da vida:

> Vaidade de vaidades,
> diz o Pregador;
> vaidade de vaidades,
> tudo é vaidade.

A palavra-chave *vaidade* aparece 35 vezes, impregnando o leitor com o tema do início ao fim. (Além de Eclesiastes, só o livro de Jó emprega o vocábulo — o que não deve surpreender.) Ela transmite fortemente a idéia do "absurdo". Os assuntos que atormentavam o Pregador eram os mesmos que incomodavam Jó e perseguem todas as pessoas de hoje com o mínimo senso de justiça. Os ricos enriquecem mais ainda, e os pobres cada vez mais empobrecem; os maus prosperam enquanto os bons sofrem; tiranos governam; desastres acontecem; a doença se espalha; todos morrem e se tornam pó. Nada faz sentido; o mundo todo parece desequilibrado e torto.

Esqueça a prudência, conclui o Pregador. Coma, beba e aproveite todo e qualquer momento efêmero de felicidade. O que mais faria sentido na vida? Trabalhamos arduamente, e outra pessoa ganha o crédito. Esforçamo-nos para ser bons e somos pisados pelas pessoas. Conseguimos juntar dinheiro, e a herança fica para herdeiros mimados e perdulários. Buscamos o prazer, e ele se torna amargo. Além disso, todos — ricos ou pobres, bons ou maus — têm o mesmo fim: todos morrem. A morte, o espectro furtivo e sempre presente, contradiz qualquer crença de que nascemos para ser felizes. Há somente uma expressão que designa bem esta vida: "nada faz sentido".

Achar essas palavras em Camus é uma coisa, mas encontrá-las na Bíblia?

Fico imaginando se os existencialistas modernos gostam da ironia deliciosa de Eclesiastes 1.9,10, em que o autor declara: "nada há novo debaixo do sol", nada "de que se possa dizer: Vê, isto é novo?". O que parecia iconoclasmo arrogante na década de sessenta, descobri meramente cumprir as profecias já batidas do antigo Pregador. Três mil anos antes, ele já previra toda a extensão da experiência humana e, surpreendentemente, incluíra essas descobertas na Bíblia. Como para sublinhar aquela ironia, mais ou menos na mesma época, um grupo musical chamado The Byrds lançou uma música num disco *single* baseada diretamente em Eclesiastes 3: "há tempo para todo o propósito...". De fato, Eclesiastes era um livro para todas as épocas, e comecei a tentar entender esse escrito profético.

Depois que passei da simples estupefação diante da mensagem de Eclesiastes, apareceram algumas questões irritantes. Uma me pegou logo no início, ao ler o Antigo Testamento de ponta a ponta. Como Eclesiastes pode coexistir lado a lado com o livro de Provérbios? É impossível imaginar dois livros mais díspares. Leia-os do começo ao fim, em seqüência, e você vai pensar que Eclesiastes foi escrito como um tipo de refutação sarcástica a Provérbios.

Provérbios sabe como funciona a vida: aprenda a sabedoria, exercite a prudência, siga as regras, e você terá uma vida longa e próspera. Seu tom de otimismo em relação ao mundo faz lembrar os aforismos de Benjamin Franklin. Aliás, hoje há várias indústrias produzindo quadros para parede no estilo antigo com versículos de Provérbios. Essas indústrias, no entanto, refletidamente evitam Eclesiastes, pois esse livro apresenta um mundo em que nenhum dos provérbios funciona. O tom confiante e prático — *Sei como funciona a vida, e você só precisa seguir as orientações deste sábio* — sumiu, substituído por resignação e cinismo. As pessoas esforçadas e honradas sofrem e morrem da mesma forma que todas as outras. As más prosperam e engordam, não se importando com as fórmulas claras de Provérbios, que prescrevem o contrário.

> Ainda há outra vaidade sobre a terra: há justos a quem acontece segundo as obras dos ímpios, e há ímpios a quem acontece segundo as obras dos justos. Digo que também isto é vaidade (8.14).

Para ter uma pequena idéia da disparidade inegável entre Provérbios e Eclesiastes, compare o uso que fazem da palavra *sabedoria*. Provérbios exalta e personifica a sabedoria, com sobretons, como diriam algumas pessoas, intencionalmente messiânicos. E qual é a perspectiva do Pregador a respeito da sabedoria?

> Porque na muita sabedoria há muito enfado; o que aumenta o conhecimento aumenta a tristeza (1.18).

A sabedoria tem algumas vantagens sobre a loucura, o Pregador admite, mas e daí? Os homens que detêm uma ou outra caminham para o mesmo destino (2.13,14). "Pois quem sabe o que é bom nesta vida para o homem, durante os poucos dias da sua vaidade, os quais gasta como sombra? Quem declarará ao homem o que será depois dele debaixo do sol?" (6.12)

Antigamente esse tipo de disparidade entre dois livros adjacentes no Antigo Testamento me incomodava e frustrava. A Bíblia não deveria mostrar mais coerência? Com o tempo, no entanto, comecei a gostar da variedade como uma das forças principais do Antigo Testamento. Como uma longa sinfonia, ele relata tanto estados de espírito alegres quanto sombrios, cada um contribuindo para o impacto do conjunto. Reflete o que todos experimentamos: às vezes as provações de Jó, outras vezes a serenidade do salmo 23, enquanto vivemos num mundo que em certos momentos se comporta de acordo com os princípios de Provérbios e em outros se rende às contradições absurdas de Eclesiastes.

A maldição de receber o que você quer

Também fiquei quebrando a cabeça a respeito da identificação tradicional do Pregador com Salomão, o autor de muitos daqueles provérbios. Muitos estudiosos da Bíblia duvidam que Salomão tenha escrito o livro de Eclesiastes (não há identificação de nenhum autor, e há indicações de que foi escrito posteriormente). Mesmo assim, o livro com certeza foi escrito sob a sombra de Salomão (v. 1.1,12,16; 2.4-9; 7.26-29; 12.9). Se um dramaturgo hoje baseasse uma peça num presidente atormentado por escândalos, que pediu demissão do cargo sob a ameaça de *impeachment*, a peça não precisaria ser intitulada "Richard Nixon" para que as pessoas entendessem a moral da história. Da mesma forma, todo o livro de Eclesiastes reflete o estado de espírito vigente no tempo do rei Salomão, quando Israel alcançou o zênite como nação.

É aí que está a dificuldade. Como esse desespero depressivo de Eclesiastes pode se originar na época áurea de Israel, quando as coisas iam tão bem? Os dias de escravidão no Egito poderiam produzir um livro sombrio desses, raciocinei, mas não os dias gloriosos de Salomão e seus sucessores no trono. A leitura que fiz da literatura moderna, em que às vezes ouvia nuanças de Eclesiastes, mudou as minhas pressuposições.

Sempre achava estranho que a filosofia existencialista moderna tivesse surgido numa das mais belas cidades da terra, Paris, durante um período de prosperidade e oportunidades. Curiosamente, aprendi, o desespero existencial, seja no Pregador, seja em Camus, tende a brotar do solo dos excessos. Por quê?

O livro de ensaios de Walker Percy *The message in the bottle* [*A mensagem da garrafa*] inicia com exemplos dessa anomalia. Percy faz uma série de perguntas, dentre as quais as que seguem:

> Por que mais pessoas se suicidam em São Francisco, a mais bela cidade da América, do que em qualquer outra cidade? [Na Europa, a capital do suicídio é Salzburgo, na Áustria.]
>
> Por que será que Jean-Paul Sartre, sentado num café francês escrevendo *A náusea*, que trata do absurdo da existência humana e das náuseas da vida no século XX — por que será que ele era o homem mais feliz da França da época?
>
> Por que um homem que vai para o trabalho num trem confortável de Larchmont a Nova York, com necessidades e desejos satisfeitos, com boa casa, mulher e filhos maravilhosos, bom emprego, com atividades recreativas e culturais nunca vistas na história, à sua inteira disposição, muitas vezes se sente tão mal e nem sabe por quê?

Percy passa a explicar então que o desespero resulta de situações de fartura, mais do que de épocas de privação. De fato, não consegui encontrar desespero nem alienação nos três volumes sombrios de *Arquipélago Gulag,* de Aleksander Soljenitsin; encontrei ira, desejo ardente de justiça e uma vontade desafiadora de sobreviver. Como Viktor Frankl explica em seu *Em busca de sentido*, as vítimas de campos de concentração (entre as quais o próprio Frankl) não ousavam sucumbir à falta de sentido, porque somente a fé perseverante no sentido os mantinha vivos.

O desespero existencial não germinou nos buracos infernais de Auschwitz ou da Sibéria, mas nos cafés de Paris, de Copenhague, nos palácios luxuosos de Beverly Hills. Após uma viagem ao Leste Europeu durante a Guerra Fria, o romancista Philip Roth escreveu: "No Ocidente, tudo acontece, e nada tem importância. Já no Oriente nada ocorre, mas tudo é importante".

Paradoxalmente, então, um livro de desesperança como Eclesiastes surgiria com maior probabilidade numa época áurea. Pense no contraste entre Eclesiastes e Jó. Eles tratam de muitos assuntos semelhantes — o lado injusto da vida, a razão de existir sofrimento, a razão da prosperidade dos ímpios e do sofrimento dos justos —, mas que diferença no tom! Eclesiastes exala falta de sentido e inutilidade, enquanto Jó está cheio de traição, paixão e um clamor por justiça. Jó cerra os punhos contra Deus, insiste em que preste contas, exige uma resposta. O Pregador encolhe os ombros e murmura "E daí?", pedindo mais um cálice de vinho. Ambos definem a amplitude do desespero: da angústia pelo sofrimento contínuo até o tédio decadente pela fartura.

O tom de Eclesiastes consegue captar precisamente o estado de espírito dos países opulentos do Ocidente. Wendell Berry recorda-se da sociedade americana confortável em que cresceu, na qual

> sabíamos e achávamos que era normal: casamento sem amor; sexo sem prazer; beber sem companheirismo; nascimento, celebração e morte sem a devida cerimônia; fé sem dúvida nem provação; crença sem atos; boas maneiras sem generosidade [...] Emoções que nos tornassem mais humanos, como o prazer nas coisas pequenas e sem lucro, as alegrias, as maravilhas, o êxtase, foram eliminadas como que por uma cirurgia cerebral.

Senão, pense nas cenas da Europa secular, em que as pessoas dirigem seu BMW ou Volvo, comem em restaurantes sofisticados, freqüentam *sex-shops* e se ocupam com a boa vida. Tendo abandonado as ambições colonialistas, reagem com certa compaixão às últimas enchentes e crises de fome. Não os chamaríamos ímpios, ainda que não demonstrem nenhum interesse por Deus e não tenham entusiasmo por princípios morais. Jó ficava indignado com esse tipo de gente:

> Na prosperidade passam seus anos,
> e descem à sepultura em paz.
> Todavia, dizem a Deus: Retira-te de nós!
> Não desejamos ter conhecimento dos teus caminhos.
> Que é o Todo-poderoso para que o sirvamos?
> E que nos aproveitará que lhe façamos orações?

Eclesiastes, no entanto, brinca com esse tipo de filosofia como um modelo com certa atração. Segundo Jack Miles, "Eclesiastes nem amaldiçoa, nem abençoa a Deus, mas somente o considera incompreensível, fazendo o melhor que pode para lançar todas as apostas, até mesmo na sabedoria e na justiça".

Uma orientação a respeito da origem do desespero existencial aparece numa frase logo no início de Eclesiastes, quando o Pregador exclama: "Que enfadonha ocupação deu Deus aos filhos dos homens, para nela os afligir!" (1.13). E passa a descrever esse fardo pesado em detalhes biográficos. O fardo do Pregador, diferentemente do de Jó, não significava infortúnios pessoais. Ao contrário, era o fardo do excesso. Ele tinha adquirido muita sabedoria. Participara de programas sociais em grande escala. Acumulara mais riquezas do que qualquer pessoa antes dele. Fora atrás de todo tipo de prazer. Mas, de tudo isso, ele concluiu no final: "... e vi que tudo era vaidade e aflição de espírito, e que proveito nenhum havia debaixo do sol" (2.11). Tudo o que ele tinha conseguido por seus esforços era o medo da morte e uma insônia crônica. Por que se importar então?

Na verdade, o Pregador nunca esperou conseguir resolver os enigmas da vida, e essa atitude de resignação opõe-se fortemente ao espírito de combate de Jó. Ao contrário de Jó e de muitos salmistas, o Pregador parece não ter um relacionamento apaixonado com Deus. Ele escorregou para a idolatria: não a que adora estátuas pagãs, mas aquela bem difundida nos tempos modernos, como na Europa Ocidental, em que somente uma minúscula fração da população vai à igreja (qualquer que seja) e as pessoas estão ocupadas em melhorar a "qualidade de vida". Ou ainda a idolatria dos Estados Unidos, onde, insistimos em dizer, temos o direito adquirido de satisfazer nossos desejos e prazeres, e ninguém pode nos deter. O Pregador até concordaria com a seguinte ressalva: você nunca vai conseguir; vai querer sempre mais. Aqui está a conclusão a que chegou:

> Tudo isto vi nos dias da minha vaidade:
> há justo que perece na sua justiça,
> e há ímpio que prolonga os seus
> dias na sua maldade.
> Não sejas demasiadamente justo,
> nem demasiadamente sábio;
> por que te destruirias a ti mesmo?

> Não sejas demasiadamente ímpio,
> e não sejas louco;
> por que morrerias antes do tempo?
> Bom é que retenhas isto,
> e daquilo não retires a tua mão.

O conselho do Pregador — seja bom, mas não muito, sábio, mas não demais — é o melhor exemplo de busca do Justo Meio-Termo do comportamento. Depois de experimentar ambos os extremos, o Pregador acomoda-se entre o hedonismo e o suicídio.

A teoria do espião da KGB

— Qual o sentido da vida? — perguntou o discípulo ao rabino.

Ao que o rabino respondeu:

— Essa é uma pergunta tão maravilhosa! Por que você haveria de trocá-la por uma resposta?

As contradições inegáveis entre Eclesiastes e praticamente todo o restante da Bíblia acabaram me conduzindo de volta à questão impertinente a respeito de como Eclesiastes conseguiu entrar no cânon bíblico. Para entender o problema de Eclesiastes, analise os versículos a seguir, tirados do contexto, mas cada um expressando uma concepção defendida pelo Pregador:

> Atenta para as obras de Deus:
> Quem poderá endireitar
> o que ele fez torto? (7.13)

> Vai, come com alegria o teu pão, e bebe com bom coração o teu vinho, pois já Deus se agrada das tuas obras (9.7).

> Para rir é que dão banquetes,
> e o vinho alegra a vida,
> mas o dinheiro é resposta para tudo (10.19).

> Tudo o que te vier à mão para fazer, faze-o conforme as tuas forças, pois na sepultura, para onde vais, não há obra, nem projetos, nem conhecimento, nem sabedoria alguma (9.10).

Cada uma dessas afirmações representa um estágio na peregrinação ao contrário do Pregador, quando investiga o sentido da vida, e cada uma contradiz radicalmente outros trechos da Bíblia. Por que o Pregador dedicaria páginas e páginas com detalhes para expressar cada uma das filosofias vãs, incluindo somente algumas frases espalhadas pelo livro para apresentar a visão bíblica mais comum?

Alguns comentários conservadores que consultei usam de uma forma ou de outra o que chamo de abordagem "espião da KGB" para tratar o livro de Eclesiastes. Nos últimos meses da Guerra Fria, um oficial graduado da KGB desertou para os Estados Unidos. Ele apareceu nos noticiários noturnos exaltando as qualidades da democracia americana e ganhou um bom espaço para morar e ser feliz para sempre no estado da Virgínia. Alguns meses depois, no entanto, ele correu para a embaixada soviética, renunciou à sua deserção e declarou que todas as suas palavras de elogio tinham sido mentiras.

Muitos comentários apresentam Eclesiastes como uma armação semelhante. O autor, crente genuíno — que não pode certamente estar desesperado — está se disfarçando de incrédulo, alguém "debaixo do sol" (expressão usada trinta vezes). Ele faz isso somente para conduzir o leitor e lhe mostrar a inutilidade da vida debaixo do sol. Então, no final, desmancha o disfarce e — *Peguei você!* — anuncia a verdade em que creu o tempo todo: "De tudo o que se tem ouvido, a conclusão é: Teme a Deus, e guarda os seus mandamentos, pois isto é todo o dever do homem" (12.13).

O apologista Francis Schaeffer usava abordagem semelhante, a qual designava "conduzindo as pessoas às conseqüências lógicas de suas pressuposições". Só para argumentar, ele defendia os pressupostos mais materialistas — não há Deus, não há absolutos — para então mostrar que esse tipo de pensamento conduz aos extremos lógicos do suicídio e da anarquia. Muitas pessoas consideram a estratégia de Schaeffer convincente. Alguns podem afirmar que os romancistas russos Turgueniev e Dostoievski usaram uma forma semelhante em *Pais e filhos*, *Os irmãos Karamazovi* e *The possessed*

[*Os possuídos*]. Os dois autores forçam até o extremo lógico as pressuposições do niilismo (termo cunhado por Turgueniev), denunciando a fraqueza da filosofia como regra moral para sociedades ou indivíduos. "Se não há Deus, tudo é permitido", escreveu Dostoievski.

Esse método legítimo de apologética, no entanto, mostra-se insatisfatório quando aplicado a Eclesiastes por uma razão básica: em Eclesiastes os trechos "seculares" ou sem sentido são muito mais convincentes do que os poucos raios de luz. Assim como Milton de forma não intencional fez de Satanás o verdadeiro herói de *O paraíso perdido*, o Pregador faz dos trechos de maior desespero de Eclesiastes as partes mais convincentes do livro. As partes mais otimistas ou "devocionais" são inseridas como um remendo, tentativas esparsas e disfarçadas do Pregador de se convencer a ter esperança. Para valorizar o significado do livro tive de cavar mais fundo, garimpando do interior a estranha filosofia do Pregador.

O fardo dos deuses

A única sabedoria que podemos ter esperança de adquirir é a sabedoria da humildade. A humildade é infinita.

— T. S. Eliot

O capítulo 3 de Eclesiastes oferece, a meu ver, o cerne da mensagem do Pregador. Começa com a passagem mais famosa do livro, "há tempo para todo o propósito", e depois repete a frase já citada "tenho visto o trabalho que Deus deu aos filhos dos homens". A seguir vem uma seção marcante que dá o tom de tudo o que se segue.

O Pregador desenvolve o que os teólogos chamavam, antes da preocupação com a linguagem sexista, "Antropologia: a doutrina do homem". Ele reflete em que ponto os seres humanos são semelhantes aos animais — todos estamos indo em direção ao mesmo destino — e que aspectos nos diferenciam. Basicamente, ele diz, somos diferentes por carregarmos o fardo dos deuses. Como disse

Pascal, a grandeza do homem em relação aos animais é que ele sabe que é miserável.

Os gregos expressavam esse fardo no mito de Prometeu, que trouxe o fogo à humanidade, simbolizando o esclarecimento e as artes. Ao fazer isso, também lhes trouxe "honra além do merecido", e, para castigá-lo, Zeus o acorrentou a uma rocha, para que suas vísceras fossem comidas por águias. Dessa forma, os seres humanos se excederam e trouxeram sobre si o peso do sofrimento e da culpa.

Num paralelo fantástico com o mito grego, os cristãos também crêem que Deus colocou aquele peso sobre nós porque fizemos por merecer. Lembre-se do jardim do Éden, antes mesmo de haver um mínimo sopro de desespero existencial, quando o trabalho e o prazer eram completamente satisfatórios. Naquele tempo de felicidade humana, Adão e Eva tentaram ser "como Deus [...] conhecedores do bem e do mal". Decidiram negar sua condição de criaturas , tentando alcançar mais do que Deus lhes tinha concedido. Por não confiarem em Deus, atraíram sobre si o fardo dos deuses.

Nosso século compartilha significativamente do fardo dos deuses, descobrindo tanto suas esperanças elevadas quanto seu desespero destruidor. A maioria dos nossos problemas, por ironia, nos sobreveio em virtude do nosso desejo de progredir, crescer, viver melhor. Ao final do século XIX, parecia que a ciência e a tecnologia venceriam a doença, eliminariam a dor e fariam com que todos vivêssemos como reis. Mas o progresso que nos trouxe máquinas de lavar e vacinas também nos trouxe armas nucleares, aquecimento global e inúmeros produtos cancerígenos.

Bruno Bettelheim disse certa vez:

> Nunca antes tantas pessoas tiveram tanto conforto; já não trememos de medo de doenças ou fome, males escondidos no escuro, encanto de bruxas. O fardo da labuta extenuante foi tirado de nós, e as máquinas, não o trabalho das nossas mãos, logo nos darão quase tudo de que necessitamos, e muito de que nem necessitamos na verdade. Herdamos liberdades que o homem vem buscando há séculos. Em virtude de tudo isso e muito mais, de-

> veríamos estar vivendo num alvorecer muito promissor. Mas agora que estamos mais livres para desfrutar a vida, frustamo-nos e ficamos profundamente decepcionados com o fato de que a liberdade e o conforto, ainda que tão ansiados, não nos conferem sentido e propósito à vida.

Nossas melhores tentativas são um tiro pela culatra. Aprendemos a alongar a vida, mas não conseguimos proporcionar sentido às pessoas permanentemente presas a máquinas zunindo — e assim os remédios se apresentam como soluções alternativas. Levamos antibióticos a países subdesenvolvidos, para ver depois a mortalidade infantil cair, a população crescer rapidamente e o fantasma da fome aparecer de novo. Descarregamos um bilhão de dólares numa guerra contra a pobreza e o resultado são mais pessoas pobres do que antes em qualquer época da história.

Os países mais avançados tecnologicamente são também marcados por desintegração da família, dependência de drogas, aborto, criminalidade, falta de moradia e suicídio. Malcolm Muggeridge lamentou isso quando escreveu:

> O resultado é quase invariavelmente o oposto da intenção. Assim, desenvolver o ensino público tem contribuído para o crescimento do analfabetismo; meio século de manifestações pacifistas resultaram em duas das guerras mais cruéis e destrutivas da história; a igualdade política tem conduzido a um maior preconceito de classes [...] e a liberdade sexual gerou uma erotomania numa escala sem precedentes na história.
>
> — *Jesus rediscovered* [*Jesus redescoberto*]

Semelhantemente, Eclesiastes registrou seu juízo numa época de prosperidade e progresso social incomparáveis. O governante de Israel estava sentindo em si mesmo e em seu povo a impossibilidade de suportar o fardo. Aprendeu a dura lição que Moisés tinha tentado ensinar aos israelitas séculos antes: tudo em que os seres humanos tocarem terá um defeito fatal. Os bons tempos representam o grande perigo; nossos melhores esforços resultam em ruína. Resumindo: os seres humanos não são deuses, e essa descoberta levou o Pregador ao desespero. Roger

Shattuck dá a isso o nome de "efeito esposa de Bath", numa alusão à personagem de Chaucer: "Estamos descontentes com a nossa sorte, qualquer que seja, simplesmente porque é nossa".

A eternidade em nosso coração

Certa vez deparei com uma cena de rara beleza alguns quilômetros de Anchorage, no Alasca, onde notei alguns carros parados no acostamento da rodovia. Contrastando com o céu cinza escuro, a água de um braço do oceano tinha um tom levemente esverdeado, e em alguns lugares havia manchas que pensei ser ondas espumantes. Logo percebi que não se tratava de ondas; eram belugas (baleias acinzentadas) amamentando filhotes a vinte metros da costa. Fiquei ali observando com as outras pessoas durante quarenta minutos, ouvindo o som rítmico do mar, seguindo o movimento gracioso das baleias. O grupo de observadores estava silencioso, quase reverente. Naquele momento nada mais importava — reservas para jantar, a viagem, a vida em casa. Estávamos diante de uma cena de beleza estupefante e imensa majestade. Sentimo-nos pequenos. Nós, desconhecidos uns dos outros, estávamos ali juntos, parados em silêncio até que as baleias nadassem para longe da costa. Aí subimos a encosta juntos, entramos nos nossos carros e retomamos a vida agitada e bem-ordenada, que por um instante nos pareceu menos urgente.

O Pregador sem dúvida entenderia a reação daquele grupo diante das baleias, pois ele insiste: mesmo que não sejamos deuses, tampouco somos exclusivamente animais. Deus "também pôs a eternidade no coração do homem". Essa frase tão elegante aplica-se a muitos aspectos da experiência humana. É verdade que sinaliza um instinto religioso, algo que, para estupefação dos antropólogos, pode ser encontrado em todas as sociedades humanas já estudadas. Nosso coração percebe a eternidade de outras formas que não a religião. O Pregador não é nenhum niilista; vê a beleza do mundo criado com clareza impressionante.

Detecto em Eclesiastes um tipo de "anseio", ou *Sehnsucht*, de que C. S. Lewis tratou de forma tão eloqüente. "Gotas de graça" — é como ele chamou um dia aqueles rumores de transcendência que ele experimentava quando ouvia música, lia mitologia grega ou visitava uma catedral. Todos sentimos esse anseio às vezes: no sexo, na beleza, na música, na natureza, no amor.

De onde veio nosso senso de beleza e de prazer? Para mim essa parece uma questão gigantesca — o equivalente filosófico, para os ateus, ao problema do sofrimento para os cristãos. A resposta do Pregador é clara: um Deus bom e amável naturalmente gostaria que suas criaturas experimentassem prazer, alegria e realização pessoal. G. K. Chesterton considera o prazer, ou a eternidade em seu coração, o sinal que um dia o conduziu a Deus:

> Tinha surgido em minha mente uma vaga e esmagadora impressão de que, de alguma forma, todo o bem era remanescente de alguma ruína dos primórdios a ser guardado e mantido em lugar sagrado. O homem tinha resgatado seu bem como [Robinson] Crusoé salvara os seus: este os tinha resgatado de um naufrágio. Tudo isso eu sentia, e a idade não me dava coragem para senti-lo. E todo esse tempo nem tinha pensado em teologia cristã.
>
> — *Orthodoxy* [*Ortodoxia*]

Um encontro com a beleza ou uma experiência de alegria intensa talvez nos faça esquecer por um tempo nosso verdadeiro estado mortal — mas esse esquecimento não dura muito. A criança que seguramos no colo na hora do jantar ouve nossos gritos quando chega a hora de dormir; com a pessoa com quem fizemos amor ontem à noite brigamos hoje. Toda noiva entra no corredor da igreja crendo numa nova vida de felicidade, e cada pai ou mãe de um recém-nascido sai do hospital cheio de alegria; no entanto, sabemos que metade dos casamentos acaba em divórcio e talvez um terço de todas as crianças sofrem algum tipo de abuso dos pais. Não conseguimos nos livrar, nunca, do fardo insuportável dos deuses.

A pessoa pode, é claro, sentir a eternidade no coração e nunca se voltar ao Deus que a colocou lá. Para as que continuam vivendo "debaixo do sol", o Pregador de Eclesiastes tem uma mensagem simples: você certamente não encontrará o que satisfaz.

"E isso é tudo?", perguntou a cantora Peggy Lee na versão musical que fez de Eclesiastes na década de sessenta. Você pode falhar no lado positivo, buscando freneticamente a riqueza, o sucesso, o sexo, ou pode falhar no lado negativo, desistindo, entregando os pontos e afundando num coma químico. Na sua odisséia, o Pregador caiu nos dois extremos.

O relato de decadência da pessoa mais rica, mais sábia e mais talentosa do mundo serve de alegoria perfeita para o que pode acontecer quando perdemos de vista o Doador, de cujas boas dádivas usufruímos. O prazer representa um grande bem, mas também um grave perigo. Se começarmos a perseguir o prazer como um fim em si mesmo, podemos perder de vista no caminho aquele que nos deu coisas boas como o desejo sexual, as células sensitivas do paladar e a capacidade de apreciar a beleza. Nesse caso, como diz Eclesiastes, a devoção exagerada ao prazer paradoxalmente conduzirá a um estado de total desespero.

Eclesiastes insiste em afirmar que até as pedras em que tropeçamos são boas em si. "Tudo fez formoso em seu tempo" (3.11). Mas, ao assumirmos um fardo para o qual não fomos feitos, transformamos nudez em pornografia, vinho em alcoolismo, comida em glutonaria e diversidade humana em racismo e preconceito. O desespero toma conta à medida que abusamos das boas dádivas de Deus; já não parecem dádivas, e muito menos boas.

Eclesiastes se mantém como uma grande obra de literatura e uma obra de grande verdade, porque apresenta os dois lados da vida neste planeta: a promessa de prazeres tão tentadores que podemos gastar a vida toda para alcançá-los, e também a descoberta obsedante de que esses prazeres no final das contas não nos satisfazem. O mundo encantador, mas inalcançável de Deus é muito grande para nós. Feitos para outro lar, feitos para a eternidade, finalmente descobrimos que nada neste lado do paraíso eterno vai nos acalmar os rumores da insatisfação.

O Pregador termina a frase: "Também pôs a eternidade no coração dos homens; contudo, não podem descobrir a obra que Deus fez desde o princípio até o fim". Em resumo, esse é o ponto central de Eclesiastes. A mesma lição que Jó aprendeu nas cinzas e no pó — que nós, seres humanos, não conseguimos resolver a vida por nós mesmos — o Pregador descobre com vestes reais e no conforto do palácio. No final, o Pregador admite francamente que a vida não tem sentido sem Deus e nunca encontrará sentido pleno porque não somos Deus. Como ressaltou Kierkegaard: "Se a vida do homem não existe para ser gasta em inatividade ou perdida em ativismo desenfreado, deve haver algo superior que a mova".

Nas palavras do Pregador:

> Assim como não sabes qual o caminho do vento,
> nem como se formam os ossos
> no ventre da que está grávida,
> também não sabes as obras de Deus,
> que faz todas as coisas (11.5).

Se não reconhecermos os limites e não nos submetermos ao governo de Deus, se não confiarmos no Doador de todas as boas dádivas, vamos acabar num estado de desespero. Eclesiastes convida a aceitarmos nosso *status* de criaturas sob o domínio do Criador, algo que poucos de nós conseguem sem ter de lutar.

Um conto de dois reinos

> *Como sabe, por incrível que pareça, quando se está bem velho, como eu, setenta e cinco anos e já perto de morrer, as coisas mais inesperadas acontecem. A gente acorda muitas vezes lá pelas duas ou três da manhã e percebe que está metade no corpo e metade fora — algo esquisito, sem dúvida. A gente vê o esqueleto velho e maltratado lá entre os lençóis e fica dividido entre reassumir totalmente a ocupação, deixando o dia correr, e sair por aí observando, como se vêem os luzeiros celestes numa viagem noturna, as luzes da* Cidade de Deus, *de Agostinho. Nesse tipo de estado intermediário, entre estar no corpo e estar fora dele, tem-se a certeza mais extraordinária, uma consciência inequívoca de que esta nossa terra, com todas as suas insuficiências, é um lugar extraordinário, lindo, que a experiência de viver nela é singular, maravilhosa, que os relacionamentos com outras pessoas, o amor humano, a procriação humana, o tra-*

> *balho, tudo isso é maravilhoso e fantástico, apesar de tudo que se possa dizer sobre as dificuldades das nossas circunstâncias; e, por fim, adquire-se uma convicção para lá de certa de que somos participantes dos seus propósitos para sua criação e de que esses propósitos são bondosos e não prejudiciais, criativos e não destrutivos, universais e não particulares. Nessa certeza existe um conforto incrível e uma alegria também incrível.*
>
> — Malcolm Muggeridge, *The end of Christendom* [*O fim do cristianismo*]

Não se extraem muitos sermões de Eclesiastes, por ser um dos livros mais confusos da Bíblia. Muitos cristãos conservadores o tratam com aversão bem-educada, como se tivesse se infiltrado no cânon quando ninguém estava olhando. Aprendi a ver Eclesiastes não como um erro, nem como uma forma artificial de apologética invertida, mas como um lembrete dos limites de sermos humanos. Eclesiastes dispõe diante de nós as conseqüências inevitáveis de uma vida sem Deus no centro, e as armadilhas contra as quais adverte colocam tanto o crente quanto o pagão em perigo. O rei Salomão, a sombra por trás do livro, consiste no melhor exemplo de todos.

De Gênesis 12 em diante o Antigo Testamento registra como Deus cumpriu sua aliança com Abraão. Primeiro separou uma tribo, os israelitas, e depois, por meio de um processo tortuoso, fez deles uma grande nação. Após o êxodo, quando o povo deixou o Egito, todos receberam uma terra só deles, a última promessa a ser cumprida. Nos dias de Salomão, a nação, sem divisões, tinha paz e prosperidade. O ápice ocorre numa cena incrível do tipo "contato imediato de terceiro grau", registrada em 1 Reis 8, quando a glória do Senhor desce e enche o templo de Salomão. Nos dias deste rei, tudo estava funcionando. Os judeus estavam sendo luz para os gentios: um desfile de governantes estrangeiros de Sabá e de outros lugares vieram ver com os próprios olhos os milagres de Israel e do Deus de Israel. O reinado de Salomão é ressaltado como um momento especial de tranqüilidade na história atribulada dos judeus.

Ninguém na história começou com mais vantagens do que o rei Salomão, com seus privilégios de nascimento, seu fantástico talento natural e uma dádiva sobrenatural de sabedoria. Mesmo assim, nem Salomão, com toda a sua sabedoria, conseguiu carregar o fardo dos deuses. Seus excessos sexuais se tornaram proverbiais: setecentas mulheres e trezentas concubinas. O livro de 1 Reis relata em detalhes a construção do templo de Deus que durou sete anos, ressalta com mordacidade que o palácio de Salomão, duas vezes o tamanho do templo, levou o dobro do tempo para ser construído. Foi Salomão quem primeiro colocou ídolos pagãos nos lugares sagrados de Jerusalém, na tentativa de acalmar suas mulheres estrangeiras. O governante diligente, que se mostrara tão promissor, acabou desafiando todas as leis de Deus contra os excessos de um rei. O autor de três mil provérbios quebrou essas leis com uma falta de responsabilidade e controle inigualáveis na história.

A nação dividiu-se em duas após a morte de Salomão e escorregou para a ruína a partir desse dia. Como Moisés tinha predito muito antes, o período mais precioso de Israel acabou conduzindo ao seu declínio e queda repentinos. Eclesiastes, refletindo o início dessa queda, chega-nos como a lição mais dura aprendida nas ruas de Jerusalém. O livro é, em poucas palavras, um resumo profundo da "cidade do homem" *versus* a "cidade de Deus", o reino deste mundo *versus* o reino dos céus.

Será possível que Deus tenha permitido toda a experiência trágica da nação de Israel para provar um aspecto do reino visível — qualquer reino visível? Salomão, com todas as vantagens da sabedoria, do poder e da riqueza — todas boas dádivas de Deus — conduziu sua nação à destruição. Será que Deus concedeu essas vantagens a Salomão para dissipar as ilusões e assim preparar o caminho para um novo reino? Os reinos deste mundo são edificados sobre inteligência, beleza, riqueza e poder. Mesmo assim, no auge, em seu ápice salomônico, podemos dizer, esses empreendimentos humanos fracassam. A história não tem demonstrado isso repetidas vezes, por todos os cantos do mundo?

Já o rei que veio mais tarde — maior que Salomão, como ele mesmo se apresentava — estabeleceu seu governo entre aleijados, pobres, oprimidos e imundos segundo a lei. Fez a glória do reino de Salomão parecer insignificante ao compará-la com a glória dos lírios do campo. Não ofereceu nenhuma recompensa a não ser a possibilidade de morrer numa cruz. O reino de Salomão teve sucesso por meio de acúmulo; o reino de Jesus é bem-sucedido por meio do sacrifício de si mesmo. "Você precisa perder-se para se achar" era o provérbio mais repetido de Jesus. O mundo ainda não estava preparado para o tipo de reino proposto por Cristo. Mesmo quando voltou à terra após a ressurreição, os discípulos não conseguiram captar a diferença. "Senhor, será este o tempo em que restaures o reino a Israel?", perguntaram-lhe, ainda ansiando pelo reino visível de Salomão.

Os reis de Israel que se seguiram a Salomão não aprenderam a lição, os discípulos que seguiram a Jesus também não a aprenderam, e nós? Consigo imaginar o Pregador de Eclesiastes parado em frente a uma banca de jornais. "Todas essas revistas sobre *body-building* e boa forma — vocês realmente pensam que a carne dura para sempre? Vocês não pensam no túmulo? Todas essas de *marketing* e *business* — estão correndo atrás do quê? Vocês acham que realmente vão encontrar a satisfação aí? Todas essas de humor e diversão — tentei a loucura tanto quanto a sabedoria, e as duas conduzem ao mesmo lugar. Ao túmulo." As palavras enigmáticas de Jesus podem resumir a mensagem de Eclesiastes: "O que aproveita o homem ao ganhar o mundo inteiro, se perder a sua alma?".

Eclesiastes tem um quê assustadoramente moderno, pois ainda não aprendemos as suas lições mais básicas. Também estamos fascinados com as atrações do reino visível.

Autores existencialistas famosos na década de sessenta foram proféticos num sentido: examinaram as ilusões que estamos vivendo e as chamaram de ilusões. Em certo sentido os inquietos, os que sentem a desarmonia do mundo, estão mais próximos de Deus do que os satisfeitos com o mundo. Nas palavras de Walker Percy, a alienação humana é "em primeiro e último lugar a sensação do desalojado por não estar em sua casa". Diferentemente do Pregador, a maioria dos autores modernos culpa Deus, ou a falta de Deus, pelas condições em que a humanidade está. Poucos percebem o desespero como sintoma de nossa humilde necessidade em relação a Deus. Não nos direciona ao lar para o qual fomos criados.

O fim da questão

Os judeus têm por costume relembrar Eclesiastes uma vez por ano, durante a Festa dos Tabernáculos. Quando eu morava em Chicago, famílias do lado norte da cidade faziam barracas nos quintais de suas casas, e nelas faziam as refeições refletindo sobre os relatos do Antigo Testamento a respeito de seus ancestrais, no deserto do Sinai. Em meio a essa cerimônia, um líder se levantava e lia todo o livro de Eclesiastes em voz alta. Servia de advertência clara contra a tentação de depender do sucesso e da prosperidade.

Talvez todos devêssemos adotar a prática judaica de uma leitura anual desse livro, especialmente os que vivemos em condomínios e comunidades fechadas, rodeados pela abundância do reino visível, confortavelmente lembrados do triunfo do capitalismo, com um país seguro e guardado pelo seu escudo de armas nucleares. J. I. Packer diz que Eclesiastes é "o livro da Bíblia escrito especialmente para fazer de nós realistas".

Mas Eclesiastes também oferece um corretivo para cristãos comprometidos. Às vezes podemos achar que a fé morreu, que as respostas às quais nos agarramos por tanto tempo já não oferecem as soluções para a vida. Talvez estejamos sentindo depressão, desespero, tédio, apatia. Ou, no outro extremo, talvez estejamos sendo tentados por uma espiritualidade do tipo "Sorria, Jesus te ama!", que promete saúde e prosperidade, ou por um ascetismo espiritual que nega o valor da comida, da bebida, do lazer e do amor sexual. Para se opor a todas essas tendências, Eclesiastes defende a solução radical do realismo sem ilusões. Abraçamos a eternidade em nosso coração, mas carregamos o fardo dos deuses sobre nossos ombros.

Eclesiastes não é toda a revelação, obviamente. Não diz nada a respeito da aliança, nem registra histórias miraculosas de intervenção divina, ou promessas de uma libertação definitiva por parte de Deus. O Pregador tem uma visão restrita das coisas, limitada ao que vê à sua volta. Mesmo assim, o livro termina com esta advertência:

De tudo o que se tem ouvido, a conclusão é:
Teme a Deus, e guarda os seus mandamentos;
pois isto é todo o dever do homem.
Porque Deus há de trazer a juízo toda obra,
inclusive o que está encoberto,
quer seja bom, quer seja mau.

Algumas pessoas consideram o último capítulo um tipo de hino de convite, como se o autor tivesse nos conduzido de má fé a um apelo final. Outros vêem o final como um acréscimo tardio, colocado aí por escribas preocupados com a mensagem geral de Eclesiastes. Eu vejo as coisas de outra maneira. Observo um homem velho e cansado (por que não Salomão?) que buscou com diligência a resposta aos enigmas da vida. Na primeira parte do capítulo 12, ele dá uma perfeita descrição shakespeariana do envelhecimento. Agora, vencido por seus erros e mortalidade, suspira e diz: somente uma coisa tem valor. De alguma forma, em meio a esse seu mundo sem valor, em que tudo é vaidade, lembre-se do seu Criador.

Nas palavras do filósofo Ludwig Wittgenstein: "Crer em Deus significa ver que os fatos deste mundo não são o fim da questão. Crer em Deus significa ver que a vida tem sentido [...] Que esse sentido não reside em si mesmo, mas fora dele". Davi e os outros salmistas tinham adquirido o hábito de coligir todos os aspectos da vida para apresentar isso a Deus num ato de adoração. O Pregador fazia o oposto, separando tão completamente coisas como trabalho e prazer, que depois achou praticamente impossível montá-las de novo. Foi descascando as camadas da cebola até não sobrar nada. Por isso as advertências — lembre-se do seu Criador, tema a Deus — aos que ainda tinham tempo de ouvi-las.

Os escritores existencialistas tornaram popular a expressão "salto de fé" em referência ao salto além das nossas pressuposições culturais para uma crença na transcendência. As pessoas com sensibilidades religiosas se identificaram com Søren Kierkegaard, que exaltava Abraão, Jó, Davi e todos os heróis da fé, que creram a despeito de todas as impossibilidades, apesar das dúvidas contrárias à fé. Um dos escritores existencialistas fez-me voltar ao século XVII, ao matemático e filósofo Blaise Pascal, que também se debateu com questões sobre a falta de sentido. Pascal concluiu que a fé às vezes se parece com uma aposta. Ele dizia a seus amigos: "Se creio em Deus e na eternidade e você não, e não há Deus, nós dois saímos perdendo ao morrer. No entanto, se existe um Deus, você continua perdendo e eu ganho tudo". Creio que o Pregador teria aprovado essa afirmação.

O grito no final de Eclesiastes não é um triunfante "Viu, eu disse a você!", mas o último arquejo de uma pessoa extraordinária que passou a vida em busca de todas as alternativas possíveis. Detecto nesse grito o tom de *Le noeud de viperes* [*O laço de víboras*], de François Mauriac, ou de *O poder e a glória*, de Graham Greene — em suma, o tom cansado do desespero que caracteriza o nosso século. Se você está preso ao mundo visível e insiste em não enxergar nada mais, a lógica fria vai conduzi-lo à falta de sentido e ao desespero. Será que estamos, como disse Mark Twain, "numa peregrinação lenta e triste, essa corrente patética entre as eternidades"? De alguma forma, como o Pregador ensina no final, dê o salto da fé, creia que há um Deus e que esta vida terá sentido um dia: quando a eternidade em nosso coração encontrar seu descanso sabático, quando o fardo dos deuses se acomodar sobre nossos ombros ressurretos com a sustentável leveza do ser.

> *Não sei Quem — ou o Que — formulou a questão. Não sei quando foi formulada. Nem me lembro se a respondi. Mas em algum momento eu disse "Sim" a Alguém — ou a Alguma Coisa —, e a partir desse momento tive certeza de que a existência tem sentido e que, por isso, minha vida, em entrega pessoal, tinha um objetivo.*
>
> — DAG HAMMARSKJÖLD, *Markings* [*Marcas*]

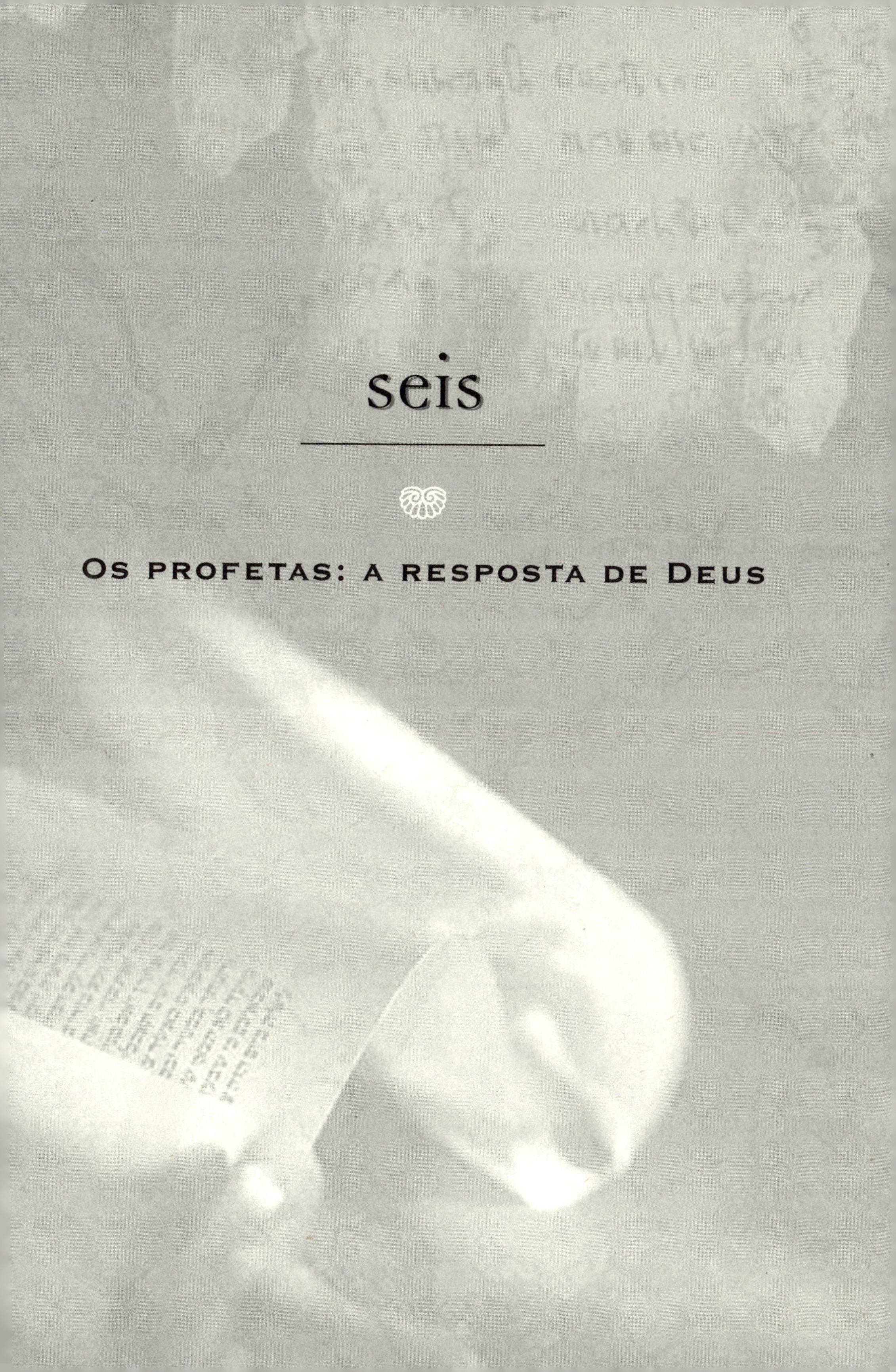

seis

Os profetas: a resposta de Deus

SEIS

Os profetas: A resposta de Deus

A situação de uma pessoa imersa nas palavras dos profetas é a de alguém exposto a um bombardeio incessante de indiferença, e a pessoa precisa de um crânio de pedra para permanecer insensível a esses ataques.

— ABRAHAM HESHEL

Se você examinar a Bíblia até dos estudantes mais diligentes, observando a parte um pouco depois do meio, talvez encontre um branco na borda do papel, uma marca de limpeza indicando quão pouco os dedos tocam os profetas do Antigo Testamento. Embora esses dezessete livros representem algo em torno de um quinto do volume da Bíblia, a tendência é não lê-los. Por quê? Fiz essa pergunta a uma classe de estudos bíblicos e um dos alunos foi bem franco quando respondeu, sintetizando o parecer da classe: "Os profetas são estranhos e confusos, e todos são muito parecidos". Ao pensar a respeito dessa resposta, descobri que ele tinha compreendido exatamente os problemas que anos a fio me mantiveram distante dos profetas.

Estranhos, sim. Tive minhas primeiras impressões quando criança, nas "conferências de verão sobre profecia". Faixas enormes eram penduradas na igreja acima da plataforma: lençóis brancos costurados uns aos outros e repletos de desenhos rudimentares de criaturas parecidas com as dos filmes de ficção científica. Os desenhos geralmente representavam visões de Daniel e do Apocalipse, e os palestrantes, manuseando longas varas como indicadores, apontavam e explicavam os significados dos vários artelhos, chifres e olhos. Esses profetas realmente eram um bando de estranhos. Como disse

Jack Miles: "Os três profetas maiores — Isaías, Jeremias e Ezequiel — podem ser considerados, respectivamente, o maníaco, o depressivo e a articulação psicótica da mensagem profética. Visões calmas, razoáveis, moderadas, simplesmente não há".

Confusos? Sem dúvida. Cada palestrante da conferência profética tinha uma teoria de quantos meses nós, cristãos, teríamos de sofrer durante a tribulação e em que lugar do planeta o anticristo estaria crescendo enquanto estávamos lá nos reunindo. Quando o Mercado Comum Europeu começou a ser formado, a empolgação cresceu muito — os dez artelhos da besta de Daniel! —, para depois perder fôlego quando o décimo primeiro e o décimo segundo membro foram aceitos.

Mais tarde, quando li a história da igreja, descobri que os cristãos tinham apostado nos cavalos errados na década de quarenta quando Hitler, Stalin e Mussolini pareciam concorrer para o papel de anticristo; e na década de 1840, quando os crentes se reuniam no topo das montanhas para esperar a volta de Cristo; e nos séculos XV, V e mesmo no I d.C. Expoentes como Jonathan Edwards, Martinho Lutero e Isaac Newton fizeram declarações solenes sobre o cumprimento de profecias, e hoje essas declarações parecem ridículas.

Lembro quando Salem Kirban identificou a invasão das abelhas africanas nos Estados Unidos como o cumprimento de Apocalipse 9, como precursor do sinal da quinta trombeta. Lembro também ter ouvido Hal Lindsey relacionar um escândalo de espionagem na década de oitenta com a profecia bíblica. O vazamento de um sistema da Toshiba para os estaleiros de Leningrado, dizia ele, tinha tornado os submarinos soviéticos "invisíveis" para os Estados Unidos, levando o mundo para muito mais perto do seu fim. Não tenho ouvido sobre Lindsey ultimamente (seu livro *A agonia do grande planeta Terra* foi o mais vendido da década de setenta, sem exceções), a não ser que muito da sua atenção tem-se voltado da Rússia para o Iraque. Um amigo meu afirmou sarcasticamente que a razão pela qual James Dobson se tornou tão famoso foi que Hal Lindsey estava errado sobre o fim do mundo: os cristãos de repente perceberam que ainda tinham muito tempo para criar os filhos.

Recentemente uma grande quantidade de livros tem sido publicada relacionando fatos-chave do ano 2000, o que faz ecoar a histeria do ano 1000. *Experts* da profecia estão agora advertindo a respeito de novilhas vermelhas que estão sendo secretamente criadas em Israel, a respeito de sistemas de computador na Bélgica programados para seguir a pista da "marca da besta" e a respeito de tropas das Nações Unidas sendo levadas secretamente para bases militares dos Estados Unidos.

Todos os prognosticadores da história têm apresentado razões impressionantes para explicar por que as profecias codificadas na Bíblia se cumpririam no tempo deles, e até agora todos erraram. Isso deveria nos surpreender? Os escribas judeus tiveram vários séculos para passar adiante as profecias a respeito do nascimento e da vida de Jesus, passagens que parecem claríssimas para os crentes de hoje, e nenhum deles teve predições detalhadas e exatas da primeira vinda do Messias. Por que deveríamos achar que teremos mais sucesso que eles no que diz respeito à segunda vinda? Confesso que ter esses pensamentos me fazia ficar cético ao ler os profetas: se ninguém consegue entrar em acordo quanto ao seu significado, por que lê-los?

"Todos são parecidos." Essa última reclamação, confesso, era o maior obstáculo para a minha leitura dos profetas. Pareciam entediantes. Por meio de pregação, poesia, política e literatura, todos davam variações da mesma mensagem em uma espécie de dístico: "A situação vai ficar ruim, muito ruim. Depois vai ficar muito melhor". Em resumo, quando eu pensava nos profetas, tinha a imagem de homens velhos, antiquados, apontando o dedo para o mundo — a mesma imagem que tem inspirado muitas caricaturas em cartuns de jornais.

Livros extremamente modernos

Por essas razões, minha Bíblia também tinha um vasto branco na borda das páginas logo após os livros poéticos, indicando partes não lidas, até que um dia o meu trabalho na *The student Bible* exigiu uma leitura mais a fundo desses livros. Meu trabalho agora *exigia* de mim o estudo dos profetas. Uma coisa surpreendente aconteceu com o tempo: experimentei uma reviravolta abrupta, tão abrupta, que agora consigo chamar os profetas de meus livros preferidos em toda a Bíblia.

Longe daquele meu estereótipo de gente apontando o dedo para todo o mundo, descobri que os profetas são os escritores mais "modernos" que se possa imaginar. Capítulo após capítulo, tratam dos mesmos assuntos que pendem sobre nosso século: o silêncio de Deus, desigualdades econômicas, injustiça, guerras, a aparente soberania do mal, o sofrimento insistente que aflige nosso mundo. Esses mesmos temas, que aparecem com certa regularidade em Jó, Salmos, Eclesiastes e até em Deuteronômio, são focalizados de forma especial pelos profetas, como se os examinassem num microscópio. Protótipos do realismo do Antigo Testamento, os profetas mostram de forma eloqüente as dúvidas, as dores e as complexidades que todos sentimos — que eu sinto. Passei a vê-los como testemunhas agudas do dilema de sermos humanos.

Isaías, normalmente um gigante da fé, lamentou em certo momento: "Verdadeiramente tu és Deus que te ocultas, o Deus de Israel, o Salvador". Em outro trecho ele clamou, próximo do desespero: "Oh! Se fendesses os céus e descesses!".

A maior parte de Habacuque é uma reclamação a Deus em voz alta, começando com palavras que ecoam na boca de céticos modernos:

> Até quando, Senhor, clamarei eu,
>   e tu não me escutarás?
> ou gritarei a ti: Violência!
>   e não salvarás?
> Por que me fazes ver a iniqüidade,
>   e a opressão?

Malaquias e Jeremias protestaram em alta voz contra o fracasso da "teologia do sucesso". Nos seus dias, os profetas de Deus, como Elias, já não estavam detonando inimigos com fogo do céu; estavam apodrecendo em calabouços e poços, quando não eram serrados ao meio. Jeremias, que no final das contas legou-nos a expressão *jeremiada*, encheu o livro mais extenso da Bíblia com uma mensagem exprimida entre soluços.

Oxalá a minha cabeça se tornasse em um manancial de águas,
e os meus olhos em uma fonte de lágrimas!

O meu coração está quebrantado dentro de mim;
todos os meus ossos estremecem.
Sou como um homem embriagado,
e como um homem vencido do vinho.

Ah! entranhas minhas, entranhas minhas!
Eu me contorço em dores!
O meu coração ruge,
não me posso calar.

O que causou tamanho tormento existencial? Além da dor sua e de seu povo, Jeremias agonizava diante da aparente incapacidade de Deus. Ele desafiou a Deus diretamente: "Por que serias como homem surpreendido, como o guerreiro que não pode livrar?". O filósofo agnóstico Voltaire não poderia ter achado expressão melhor. Como é possível que um Deus todo-poderoso, que ama a todos, tolere um mundo em tamanha desordem?

Na visão dos profetas, parecia que Deus estava se afastando cada vez mais da sua criação. Por que florescem as nações que se opõem a Deus? — eles perguntavam. Por que há tantas calamidades naturais? Por que tanta pobreza e depravação no mundo e tão poucos milagres? Onde estás, Deus? Por que não falas conosco como antigamente? Mostra-te, quebra o silêncio. Pelo amor de Deus, literalmente, *entra em ação!*

Deus faz ouvir sua voz

A característica mais impressionante dos profetas — sendo também a razão por que esses dezessete livros merecem estudo aprofundado — é que Deus lhes responde as perguntas contundentes. Ele responde como trovão e explode, defendendo a forma com que conduz o mundo. Ele reage às reclamações deles com algumas reclamações que ele mesmo esboça.

Imagine um biógrafo tropeçando sobre dezessete cartas de Abraham Lincoln endereçadas à sua esposa, seus generais e seu secretário de estado, revelando suas piores crises durante a Guerra de Secessão. Algumas cartas tratando dos mesmos assuntos, mas usando palavras diferentes e um tom diferente, dependendo de quando e a quem escrevesse. Os historiadores dissecariam cada fragmento em busca de luz a respeito das lutas interiores do maior presidente dos Estados Unidos. Por que tomou essa decisão e não aquela, agiu aqui e não ali? Os profetas proporcionam esse tipo de vislumbre da mente de Deus.

Com um toque de ironia, Deus dirige a atenção aos próprios profetas — exatamente os questionadores do fato de Deus ter-se escondido — como prova de sua preocupação. "Certamente o Senhor Deus não fará coisa alguma, sem ter revelado o seu segredo aos seus servos, os profetas." Como pode uma nação se queixar do silêncio de Deus quando conta com gente do calibre de Ezequiel, Jeremias, Daniel e Isaías?

Os profetas estavam pedindo demonstrações miraculosas do poder de Deus como nos dias de Moisés. Mas o veredicto já tinha sido dado: como está registrado no livro de Deuteronômio, Israel havia reagido a esses sinais miraculosos com rebeldia e teimosia. Por que repetir o passado? Agora, em vez disso, Deus se volta ao poder da palavra, por meio dos profetas. Evidentemente Deus não considera "meras palavras" uma forma inferior de demonstração, pois escolheu os profetas para comunicar a angústia que ele mesmo estava sentindo. Pobre Jeremias... esperava outro tipo de expressão; a palavra de Deus, ele disse, "me é no coração como fogo ardente, encerrado nos meus ossos. Estou fatigado de contê-lo, e não posso mais".

Só posso mencionar parte das respostas específicas de Deus aos questionamentos dos profetas. Ele fala do valor de podar uma nação iníqua, aponta com orgulho para um remanescente de seguidores fiéis, reconta provas históricas de seu amor, promete um Messias-Libertador e sempre conclui com uma previsão do futuro quando tudo que está errado na terra terá sido corrigido. Além dessas explicações racionais, há uma mensagem que transparece com grande vigor: Deus ama seu povo apaixonadamente. Acima de tudo, os profetas repetem o refrão constante do Antigo Testamento: *somos importantes* para Deus.

Por um lado, os profetas referem-se ao poder majestoso de um Deus que cria sistemas solares com uma palavra e joga com impérios como se fossem varas incandescentes. Por outro lado, proclamam o envolvimento pessoal e íntimo de Deus com o seu povo escolhido e com indivíduos. Abraham Heschel, um dos melhores intérpretes judeus dos profetas, diz: "Deus se mostra furioso nas palavras dos profetas [...] O fato de o Criador dos céus e da terra estar se importando com a maneira com que um indivíduo desconhecido se comporta com viúvas e órfãos é um pensamento surpreendente e quase incompatível com qualquer forma racional de tentar entender a Deus". Contudo, Deus se importa, e os profetas manifestaram essa preocupação.

Os Salmos dão a oportunidade aos poetas de expressar seus pensamentos e sentimentos mais íntimos a Deus. Nos profetas, Deus responde e levanta a voz, usando o mesmo estilo de grande comoção. A frieza filosófica de Eclesiastes dá lugar à paixão com a qual Deus expressa a intimidade do relacionamento com seu povo. Em resposta, os profetas tratam a Deus com familiaridade chocante, como se ele estivesse sentado numa cadeira ao lado deles. Perdoem-me a analogia, que pode até parecer irreverente, mas ao ler os profetas não consigo deixar de pensar na imagem de um conselheiro que tem Deus como cliente. O conselheiro pronuncia aquela frase típica, "Conte-me como você está se sentindo", e aí Deus passa a falar.

Vou lhe contar como estou me sentindo! Sinto-me como uma mãe que acha um bebê, uma menina, na valeta, quase morrendo. Levo o bebê para casa e a adoto como filha. Eu a limpo, pago sua escola, dou-lhe alimento. Eu a encho de carinho, visto-a, coloco jóias nela. Aí um dia ela foge de casa. Ouço notícias da sua vida depravada. Ela é uma viciada em drogas, em algum lugar, toda coberta de tatuagens, seu corpo cheio de *piercings*. Quando ela ouve meu nome, me amaldiçoa. Sinto como se ela estivesse retorcendo uma faca no meu estômago.

Vou lhe contar como estou me sentindo! Sinto-me como um homem que se apaixona pela mulher mais bonita e mais atenciosa do mundo.

Eu a encontro magra, fragilizada, violentada, mas a levo para casa para curá-la e fazer sua beleza brilhar. Ela é a menina dos meus olhos, e a encho com carinho e presentes. Tudo isso, e, mesmo assim, ela me abandona. Ela corre atrás de meus melhores amigos, meus inimigos, de qualquer um que apareça. Ela está na avenida e paga para as pessoas terem sexo com ela; diferentemente das prostitutas comuns, ela nem cobra pelos serviços! Sinto-me traído, abandonado; parece que tudo acabou.

Deus usa esses exemplos e muitos outros, todos contados com surpreendente franqueza, para expressar como se sente traído por causa da aliança violada com Israel e com toda a humanidade. Como Deus se sente de verdade? Ouça as palavras dele em Isaías 42:

> Por muito tempo me calei,
> estive em silêncio, e me contive.
> Mas agora darei gritos como a que está em parto,
> arfando e arquejando.

Quem lê os profetas encontra não uma deidade impassível, distante, mas uma Pessoa de verdade, um Deus tão apaixonado quanto qualquer pessoa que você tenha encontrado. Deus sente prazer, frustração e raiva. Ele chora e reclama de dor. Toda hora Deus se decepciona com o comportamento humano — idolatria, orgias sexuais, sacrifício de crianças —, comportamento que, como Deus diz: "nunca lhes ordenei, nem falei, nem me passou pela mente".

A mensagem principal dos profetas se resume a isto: Deus ama os seres humanos. Antes dos profetas você precisa olhar com atenção no Antigo Testamento para achar algumas referências esparsas a respeito do prazer que Deus sente por seu povo. Os profetas declaram alto e bom som o que Deus sente: ele nos ama. Dos deuses da antigüidade, o Deus de Israel foi o único a se "humilhar" e admitir amor por criaturas falhas e bípedes que perambulam por este planeta. Os gritos de dor e raiva emitidos por Deus são os gritos de um amante machucado e desconsolado por não correspondermos a ele.

Nos profetas, Deus anuncia o castigo com tristeza e lamento, saídos de um coração partido. Assim como dói no coração de um pai ou de uma mãe, Deus também sente dor ao castigar um filho. "... de que outra maneira [eu] procederia...?", é a pergunta de Deus em certo momento (Jr 9). Como ele explica por meio de Isaías, ele não tem escolha: se o mundo se nega a aprender a justiça por meio da graça, ele precisa recorrer ao castigo.

Depois de cada tragédia nacional — invasões pela Assíria, Babilônia, Pérsia —, Israel não tem outro lugar para cair senão nos braços do amor criador de Deus. E a cada vez Deus promete começar de novo: restaurar o remanescente, gravar as leis no coração deles, enviar um Messias-Libertador, soprar vida num monte de ossos secos. E, a cada vez, Deus promete nunca desistir, sempre amar.

Nenhum profeta expressa essa imagem de forma mais clara que Oséias. Exatamente durante o anúncio de uma série de ameaças, Deus parece desmoronar-se e deixar escapar uma declaração de amor:

> Como te deixaria, ó Efraim?
> Como te entregaria, ó Israel? [...]
> Está comovido em mim o meu coração,
> todas as minhas compaixões à uma se acendem.

Como se as palavras não fossem suficientemente fortes para expressar as emoções, Deus pede a Oséias que faça ele mesmo a representação de uma parábola deplorável. Somente ao vivenciar esse drama Oséias poderia entender e depois aplicar aos outros um pouco do que Deus sentia ao ver que seu povo o rejeitava. Oséias casa-se com uma mulher chamada Gômer, que lhe dá três filhos e depois o deixa por outro homem. Ela trabalha como prostituta e aí Deus dá uma ordem dura a Oséias: "Vai outra vez, ama uma mulher, amada de seu amigo, e adúltera, como o Senhor ama os filhos de Israel, embora eles olhem para outros deuses, e amem bolos de passas". No coração dos profetas está um Deus que intencionalmente se entrega ao poder incontrolável e irresistível do amor.

Como diz Abraham Heschel: "É impressionante o pensamento de que Deus seja sublime demais para se deixa tocar por fatos deste planeta insignificante, mas isso procede da linha de raciocínio sobre Deus que deriva da abstração" — e com certeza não é uma linha de raciocínio oriunda dos profetas. Ao estudar os profetas e absorver sua intensidade apaixonada, descobri como tinham sido equivocadas as minhas primeiras impressões. Os que têm fixação pela profecia como previsão do futuro, que lêem esses dezessete livros principalmente para descobrir o que acontecerá após o ano 2000, facilmente perdem a maior contribuição que eles podem dar.

Por que ler os profetas? Há uma razão convincente: para conhecer a Deus. Os profetas são a revelação mais vigorosa da personalidade de Deus.

Livros problemáticos

Apesar do meu entusiasmo recente pelos livros proféticos, eu seria omisso se não admitisse que também tenho alguns problemas com eles. Os livros proféticos são difíceis, os mais difíceis de toda a Bíblia. As três reclamações que meus amigos tinham contra eles — "estranhos, confusos e repetitivos" — não desaparecem facilmente.

Quanto à estranheza, com o tempo comecei a gostar dos profetas exatamente por isso. Gosto das comédias de Monty Python e das tragédias de Flannery O'Connor e, toda vez que menciono meus filmes preferidos, as pessoas me olham como se eu tivesse cometido uma gafe social. Como disse a própria Flannery em defesa de sua obra ficcional: "Aos que ouvem mal você grita, e aos quase cegos você desenha figuras grandes, de chamar a atenção".

Os profetas pintaram quadros realmente alarmantes, e quanto mais os estudava, mais gostava deles. O Isaías urbano andou três anos pela cidade, nu e descalço, para enfatizar uma convicção política (imagine como a imprensa trataria um caso desses hoje); Jeremias andou sob uma canga de boi para chamar a atenção para a mensagem de destruição iminente; Ezequiel ficou deitado de lado por meses de cada vez, amarrado com cordas, de frente para uma maquete de barro de Jerusalém. Com esses expedientes, os profetas transmitiam algo muito forte para ser reduzido a palavras. Estranhos? Quando um furacão está nos vindo bem em direção à cidade, não fazemos belos discursos; saímos gritando e pulando feito loucos.

A outra reclamação, "são todos parecidos", também desapareceu logo. Pense nos três livros proféticos mais extensos: Isaías, Jeremias e Ezequiel. Após ouvir poucas frases, agora consigo identificar de que livro vem a citação. Isaías escreve numa prosa elevada e eloqüente; Jeremias se derrama em lágrimas e sangue por todas as páginas; Ezequiel — bem... não dá para confundir nenhum dos outros escritos do Antigo Testamento com as palavras desse estranho homem. (Rabinos ortodoxos proíbem ainda hoje qualquer pessoa com menos de trinta anos de ler os primeiros três capítulos de Ezequiel.)

A crítica de que são muito parecidos, concluí, procede de pessoas que na verdade não leram os profetas, pois formam um grupo bem diversificado, sem dúvida. É verdade que os profetas anunciaram uma mensagem semelhante, mas com estilos distintos. Obadias comprimiu sua profecia numa folha, enquanto o rolo completo de Isaías se estende por quase dez metros. Amós era camponês; Isaías trabalhou para um rei e foi morto por outro; Daniel prosperou sob dois impérios pagãos diferentes; Jonas preferiu se afogar a profetizar; as visões de Zacarias fazem as de Ezequiel parecer bem equilibradas.

A única crítica legítima que meus amigos fizeram foi a de que os profetas são confusos. Não tenho argumentos contra isso. O estilo de composição deles é responsável por parte da confusão. Em muitos casos, os profetas não foram escritos como livros. Na verdade, consistem em discursos proferidos ao longo de muitos anos e depois compilados, com poucas indicações de contexto. Por isso há repetições em abundância, mudanças de estado de espírito e imagens estranhas que de alguma forma significavam algo para o público-alvo da época. Até Lutero admitiu que os profetas "têm uma forma confusa de falar, como pessoas que, em vez de proceder de maneira ordenada, vão de uma coisa a outra, de modo que o que dizem não tem nem pé, nem cabeça, e não é possível saber que objetivo têm em mente".

É necessário então cavar em comentários de muitos anos para entender esses livros? Há alguma forma de uma pessoa "normal" achar o caminho nesse labirinto? Descobri algumas dicas que me ajudam a enxergar além dos mistérios e ver a mensagem essencial dos profetas. Eu as apresento aqui porque me ajudaram a vencer barreiras na leitura que fiz desses livros, sobretudo as decorrentes da fixação pela previsão do futuro, presente na igreja de minha infância.

Agora e mais tarde

Às vezes pensamos que os profetas viveram somente para o benefício de pessoas ainda por nascer — como nós. Na cultura americana, a própria palavra *profeta* veio a significar "prognosticador", um tipo de adivinhador com bola de cristal. Gostaria de poder apagar a palavra "profeta" e substituí-la por outra que comunicasse melhor seu papel: ver o que ninguém consegue ver, com uma visão de raio x, tanto no presente quanto no futuro. Talvez "vidente", também empregada em nossas traduções da Bíblia. Os profetas são pessoas que simplesmente conseguem enxergar melhor do que as outras.

Quando os lemos, torna-se evidente que o *agora* era mais importante para eles do que o *mais tarde*. Separo as percepções dos profetas, de forma genérica, em três categorias:

1. *Agora:* Profecias basicamente relacionados aos dias do profeta (a Assíria vai invadir Moabe; a aliança de Israel com o Egito vai sair pela culatra).
2. *Mais tarde:* Previsões a respeito de fatos futuros, distantes do tempo do profeta, mas cumpridos depois na história (por exemplo, as muitas profecias messiânicas que os autores do Novo Testamento aplicam a Jesus).
3. *Muito mais tarde:* Profecias que ainda parecem pertencer ao futuro (dentre as quais, referências a um período de tribulação mundial e uma conversão em massa dos judeus, embora os estudiosos divirjam a respeito do significado exato de quase todas essas referências).

O aspecto dos profetas que mais gera confusão é que eles não se preocupam em detalhar se os fatos anunciados — invasões, terremotos, a vinda de um líder, uma nova terra — acontecerão no dia seguinte, mil anos mais tarde ou depois de três mil anos. Aliás, as profecias com cumprimento próximo e distante ocorrem muitas vezes intermeadas no mesmo parágrafo. Leia Isaías 13, por exemplo, e lhe parecerá que a derrocada da Babilônia pelos persas vai abrir caminho para o fim do mundo. (Talvez os profetas não conhecessem o calendário — afinal, até Jesus admitiu não conhecer o tempo de Deus quando viveu aqui na terra.)

Analise também Joel 2, que relata a devastação causada por um "exército" de gafanhotos. Quase todos acham que Joel estava se referindo a uma real praga de insetos na época dele — o período a que chamei *agora*. Mas o mesmo capítulo fala de um tempo em que o Espírito será derramado sobre todas as pessoas, e filhos e filhas profetizarão. É evidente que esta última profecia se refere a um acontecimento posterior, período imediatamente posterior ao Pentecostes, pois o apóstolo Pedro se refere a isso em seu sermão, registrado em Atos 2. Mas o que dizer deste versículo no meio do mesmo parágrafo: "O sol se converterá em trevas, e a lua em sangue, antes que venha o grande e terrível dia do Senhor"? Joel está usando linguagem metafórica, é verdade, mas passa a referir-se a uma reunião de todas as nações para um julgamento final (*Muito mais tarde*?), e depois retoma a discussão a respeito de Tiro e Sidom, dois dos vizinhos de Israel na época.

Para complicar a questão, às vezes os profetas falam de um acontecimento que aparentemente tem dois cumprimentos, um *agora* e outro *mais tarde*. A profecia famosa de Isaías "A virgem conceberá, e dará à luz um filho, e será o seu nome Emanuel" (7.14) enquadra-se nessa categoria. Os dois versículos seguintes deixam claro que o sinal teria um cumprimento nos dias de Isaías (muitos estudiosos imaginam que a criança fosse do próprio Isaías), mas ainda assim Mateus relaciona o cumprimento definitivo da profecia a Maria.

Os estudiosos da Bíblia têm designações específicas para esse tipo de profecia: cumprimento "duplo ou triplo", "a parte pelo todo" etc. Naturalmente, esses expedientes complicados suscitam algumas questões. Como poderemos saber se o profeta estava se referindo a algo de sua época (*agora*), a algo não cumprido (*mais tarde* ou *muito mais tarde*) ou às duas coisas? As criações dos profetas trazem à mente uma pintura americana antiga que não tem nenhuma indicação de perspectiva: casas, montanhas, árvores, animais e camponeses estão todos comprimidos num mesmo plano, numa só dimensão. Para interpretar a cena, o observador precisa separar os vários elementos e reconstruí-los de forma que lhe dêem algum sentido visual.

Creio que esse expediente profético, obviamente confuso, oferece um vislumbre da forma com que Deus vê a história. Como "videntes", os profetas têm acesso à perspectiva divina, e, para um Deus que vive fora dos limites do tempo, a seqüência é questão de somenos. O Cordeiro, diz o apóstolo Pedro, "foi conhecido ainda antes da fundação do mundo, mas manifesto nestes últimos tempos por amor de vós" (1Pe 1.20). Paulo acrescenta que Deus também escolheu seus seguidores "antes da fundação do mundo" (Ef 1.4). Semelhantemente, nossa esperança de vida eterna foi prometida "antes dos tempos eternos" (Tt 1.2). Muito antes da teoria de Einstein sobre a relatividade do tempo e do espaço, os escritores do Novo Testamento confirmaram que algumas verdades são, literalmente, independentes do tempo. Deus, realidade não limitada ao tempo, entra na nossa história limitada pelo tempo como um artista entraria no quadro que pinta, como expressa C. S. Lewis.

Seria surpresa para nós que as incursões no tempo, feitas por um ser não limitado pelo tempo, tivessem implicações que refletiriam nos dias de Isaías, nos de Maria e também nos nossos? A profecia do nascimento de uma criança cumprida no reinado de Acaz confirmou a capacidade profética de Isaías e deu assim evidências de que as outras profecias a respeito do "Maravilhoso Conselheiro, Deus Forte, Pai da Eternidade, Príncipe da Paz" também se cumpririam. Isaías não deixou um calendário para o cumprimento final de suas profecias, pois muito provavelmente nem entendia desse cronograma.

Os profetas hebreus estavam falando de um mundo que fugia ao controle. Israel estava encolhendo, rodeado de todos os lados por nações de tiranos, e Deus parecia silente, escondido, até sem meios de agir. Os profetas falam de um tempo no futuro em que Deus quebrará esse silêncio. Nesse dia, dizem eles, Deus vai entrar em cena com poder para recriar os céus e a terra. Ele engolirá a morte e enxugará todas as lágrimas. Não haverá mais pobreza, fome, violência. Haverá um banquete para todos. Aí conheceremos Deus face a face, e toda a terra o servirá.

No entanto, quase todas as profecias tinham significado para os primeiros ouvintes, bem como para nós, milhares de anos mais tarde. Os profetas falavam de um céu e de uma terra recriados, para demonstrar que a história seria determinada pelo futuro — o futuro de Deus — e não pela realidade presente de sofrimento, caos e agitação política. Contudo, para crer numa visão dessas, aqueles ouvintes necessitavam de evidência temporal: fatos cumprindo-se no tempo previsto, no tempo deles, no *agora*. Por isso as profecias tinham cumprimento no tempo de vida do profeta.

Christopher J. H. Wright faz uma analogia que ajuda a entender por que as gerações posteriores tinham tanta dificuldade em reconhecer os cumprimentos *mais tarde* das profecias (lembre que nenhum dos escribas judeus entendeu o cumprimento das profecias a respeito de Jesus de Nazaré). Imagine um menino de cinco anos, cujo pai lhe promete, digamos, no ano de 1900, um cavalo de presente de aniversário quando fizer 21 anos. Esse menino ficaria frustado se em 1916 recebesse um carro Ford?

> Ele seria um filho estranho se acusasse o pai de ter quebrado a promessa só porque não ganhou o cavalo. Seria mais estranho ainda se, apesar de ter obtido algo muito superior, o carro motorizado, o filho insistisse em que a promessa só seria cumprida se *também* ganhasse um cavalo, pois havia sido a promessa original. É óbvio que com a mudança de circunstâncias, desconhecidas no tempo em que a promessa foi feita, o pai mais do que cumpriu a promessa. Por sinal, o que ele fez *suplantou* as palavras originais da promessa que estavam necessariamente condicionadas pelos meios de transporte disponíveis da época. A promessa tinha sido feita em termos conhecidos naquele tempo. Ela se cumpriu tendo em vista novos fatos históricos.
>
> — *Knowing Jesus through the Old Testament*
> [*Conhecendo Jesus através do Antigo Testamento*]

De fato, por essa mesma razão, a profecia funciona paradoxalmente melhor no caminho inverso. Um autor do Novo Testamento como Mateus ou Paulo podia olhar para trás e demonstrar como Jesus cumpriu os termos da aliança dos judeus e as previsões dos profetas, mesmo que a maioria das pessoas no tempo de Jesus não tenha conseguido enxergar a relação. O povo judeu dos tempos de Jesus estava esperando um novo rei Davi para governar Jerusalém; em vez disso, Deus enviou um Rei Servo para governar todo o universo. O autor da carta aos Hebreus sublinha o fato de o cumprimento ter suplantado a promessa:

> Havendo Deus outrora falado muitas vezes, e de muitas maneiras, aos pais, pelos profetas, a nós falou-nos nestes últimos dias pelo Filho, a quem constituiu herdeiro de tudo, por quem fez o mundo. O Filho é o resplendor da sua glória e a expressa imagem da sua pessoa, sustentando todas as coisas pela palavra do seu poder.

Por essa mesma razão devemos considerar o livro de Apocalipse com cuidado e humildade. João escreveu com termos usados em seu dia-a-dia (*cavaleiros, a prostituta Babilônia, ruas de ouro*), mas ninguém sabe exatamente como aquelas profecias vão se cumprir. No entanto, podemos supor com certeza que Deus as cumprirá de uma forma que *suplantará* a promessa original.

Minha leitura mudou progressivamente quando comecei a notar que os próprios profetas enfatizavam uma seqüência na direção inversa, do *mais tarde* para o *agora*. Definiam o anseio humano — cada visão utópica pode ser relacionada às palavras maravilhosas deles — e faziam alusão a um futuro glorioso para influenciar o comportamento *agora*. Proporcionavam uma visão do “mundo-como-Deus-o-quer”, à qual as pessoas pudessem se apegar mesmo em momentos de caos e desespero.

No início eu tinha lido os profetas para extrair dicas sobre o futuro, o *mais tarde* e o *muito mais tarde*. Será que o mundo vai acabar com um holocausto nuclear? O aquecimento global está de fato conduzindo aos últimos dias? Mas, na verdade, a mensagem dos profetas deve influenciar sobretudo o meu *agora*. Será que confio num Deus amoroso, poderoso, mesmo nesse século caótico? Será que me apego à visão de Deus de paz e justiça, mesmo que muitas vezes a igreja seja identificada com guerra e opressão? Creio que Deus reina, mesmo que o mundo demonstre pouca evidência disso?

Instintivamente, queremos voar para o futuro. Os profetas indicam o caminho de volta para o presente, mas mesmo assim pedem que vivamos à luz do futuro que imaginam. Podemos confiar na visão deles e aceitá-la como a realidade verdadeira da terra, apesar de todas as evidências contrárias? Podemos viver *agora* "como se" Deus fosse amoroso, carinhoso, misericordioso e todo-poderoso? Os profetas lembram que Deus de fato o é, e que a própria história um dia o demonstrará. O "mundo-como-ele-é" se tornará o "mundo-como-Deus-o-quer".

Kathleen Norris, que vive no interior agrícola do Estado de Dakota do Sul, fala do "país-do-ano-que-vem", cenário que os agricultores da região conhecem muito bem: *ano que vem vai chover, ano que vem não teremos granizo, ano que vem o inverno virá um pouco mais tarde.* Entretanto, continua Norris, ela não conhece um único agricultor que use a idéia do "ano que vem" como desculpa para não sair ou fazer o trabalho que tem de ser feito agora. Ela acrescenta que talvez devêssemos usar a linguagem profética da mesma maneira: "não como uma permissão para nos perdermos na fixação pelo mundo ainda por vir, mas como uma ordem para prestarmos mais atenção ao mundo à nossa volta".

> Os obcecados pelo Apocalipse perguntaram a respeito do reino de Deus, o futuro absoluto, à luz da situação presente do homem e do mundo. É por isso que estavam tão preocupados com a data exata de sua chegada. Jesus toma o caminho exatamente oposto: pergunta sobre a situação presente do homem e do mundo à luz do iminente advento do reino futuro de Deus. É por isso que não está preocupado com o tempo nem com a forma da vinda do reino de Deus.
>
> — Hans Küng, *On being a Christian*
> [*A respeito de ser cristão*]

A perspectiva de Deus

A seqüência mista do tempo — *agora/mais tarde/muito mais tarde* — dá dicas do que considero a contribuição mais importante dos profetas: anunciam a perspectiva do Pai. Deus lhes proporcionou (e por meio deles a nós) a possibilidade extraordinária de enxergarmos para além deste mundo, dominado por grandes potências e tiranos orgulhosos, para uma realidade em outro nível. Podemos ver aí, só de relance, a história da perspectiva de Deus. Não é de admirar que os profetas pareçam estranhos: não temos a capacidade de ver o mundo da perspectiva extratempo.

Estudar os profetas é como olhar para uma daquelas obras de arte multidimensionais de estereografia. Primeiro vemos um padrão agradável de linhas e curvas, mas, se continuarmos olhando para o desenho por quatro a cinco minutos, de repente outra cena aparece, nesse caso um cardume de baleias, presente, mas escondido no embaralhamento original das linhas. Agora se destaca tão fortemente, que temos dificuldade de recuperar a visão do padrão original.

Observo nos profetas pelo menos três níveis de significado, um tipo de visão trifocal. Às vezes os profetas tratam dos fatos atuais da mesma forma que o jornal diário o faria: "Os filisteus estão agrupando suas forças no Norte [...] Um enxame gigantesco de gafanhotos está se aproximando da nossa fronteira sul [...] Há rumores de que Damasco está se unindo à conspiração contra a Assíria". Trechos dos profetas (Is 36—39, p. ex.) citam diretamente excertos de livros históricos e registram os fatos diários em prosa corrente do dia-a-dia.

No entanto, raramente os profetas paravam aí. Como os menestréis da Idade Média, que compunham baladas para dar significado aos fatos cotidianos, os profetas interpretavam a visão jornalística do mundo de uma perspectiva moral. Eles viam invasões militares e pragas de gafanhotos não meramente como fatos naturais, mas como juízos de Deus. Essas desgraças são inevitáveis quando o povo explora os pobres, pisoteia os fracos e volta as costas a Deus.

Esse segundo nível de visão não deve surpreender, porque os profetas dos tempos modernos fazem a mesma coisa. Muitas vezes ao citar os profetas bíblicos em seus escritos, Martin Luther King Jr. apontou para as dimensões morais do Movimento dos Direitos Civis; para ele, derrotar o racismo era uma cruzada espiritual, não somente uma causa política. Em cada cidade em que Billy Graham prega, ele tem interpretado as desigualdades da civilização moderna como evidência do declínio espiritual. Aleksandr Soljenitsin declarou que as tragédias múltiplas da Rússia do século XX são conseqüências de uma sociedade que se esqueceu de Deus. Até os historiadores seculares fazem algo semelhante. Quando estoura uma rebelião por racismo, buscam as origens em causas morais: uma história de escravidão, pobreza nos centros urbanos, a desintegração da família.

Segundo Abraham Heschel, a sociedade primitiva valorizava três coisas acima de tudo: sabedoria, riqueza e poder. (Será que mudou alguma coisa?) Os profetas hebreus implodiram todos as três, pois qualquer uma delas poderia se tornar um ídolo. Nenhuma delas proporciona o tipo de fundamento de que uma sociedade precisa; somente a confiança no Deus vivo pode fazer isso. Essa perspectiva moral da história difere substancialmente da visão jornalística, que tende a concentrar o foco na fama e na influência — exatamente os símbolos da sabedoria, da riqueza e do poder que os profetas denunciaram.

Nos dias de Isaías, por exemplo, tiranos como Senaqueribe e Sargão da Assíria dominavam as manchetes, e a história parecia de fato girar em torno deles. Quando o exército assírio marchava pela Judéia, todo o mundo tremia de medo — todos menos Isaías, ressalte-se. Com uma visão moral e profética, ele zombou dos governantes assírios como atores de um drama, instrumentos temporários que Deus estava usando para depois jogar fora. Com sátira contundente, Isaías decretou um julgamento moral contra todos os grandes chefes políticos. O capítulo 14 de Isaías deveria ser inscrito na lápide de cada tirano da história, de Senaqueribe a Nabucodonosor, de Hitler a Stalin e Pol Pot. Apresenta governantes mortos há muito tempo, levantando do túmulo para saudar os novos: "Tu também estás fraco como nós, e te tornaste semelhante a nós", eles dizem. "... os gusanos de baixo de ti se estendem, e os vermes te cobrem". Mais dia, menos dia, todos os tiranos vão ao encontro do mesmo destino: "É este o homem que fazia estremecer a terra, e que fazia tremer os reinos?", as pessoas perguntarão. Isaías incentivou seu povo a depositar a fé somente em Deus.

Profetas como Isaías não tinham mais coragem do que pessoas comuns — suas discussões com Deus provam isso —, mas tinham, isso sim, uma visão especial, uma percepção do Deus que está entre as sombras. Essa visão lança uma luz diferente sobre a história. Quem está na verdade governando o mundo? — os profetas hebreus perguntam. O rei Acabe ou Deus? O Império Assírio ou Deus? (Ou, poderíamos acrescentar, nosso Presidente e seus ministros ou Deus?) Com nenhuma outra arma a não ser a mera força moral da palavra falada, posicionaram-se contra as potências de seus dias. Um dos grandes trunfos dos profetas era que suas predições, que pareciam risíveis no seu tempo, mostraram-se verdadeiras. E o que é que um zé-ninguém hebreu saberia das intricadas dinâmicas da política? Muito, como descobrimos: a Assíria caiu, como também a Babilônia, a poderosa Babilônia, depois a Pérsia, a Grécia e no final até Roma.

Hoje, os arqueólogos têm de atravessar camadas de entulho para achar algum sinal da cultura babilônica. Nabucodonosor é uma mera nota de rodapé da história. Já as profecias de Jeremias e Daniel foram preservadas e ainda são estudadas por milhões de pessoas em todo o mundo. E, se foi comprovado que as mensagens a respeito de Moabe, da Filístia, da Assíria e da Babilônia eram verdadeiras nos mínimos detalhes, que dizer então de sua mensagem a respeito do fim de toda a história?

Combate cósmico

Vez por outra os profetas acrescentam uma terceira perspectiva a sua versão jornalística e a sua interpretação moral do mundo: puxam uma tela e nos permitem ter um lampejo de visão cósmica da história. Como John Milton em *O paraíso perdido* ou Goethe em *Fausto*, os profetas retratam esse mundo como um palco em que pessoas estão atuando, mesmo que sob a influência de forças invisíveis de fora do palco. Jó apresenta o esboço veterotestamentário mais puro desse tipo de perspectiva cósmica, e os profetas, como "videntes" — com poderes de visão não disponíveis a outros —, dão mais alguns vislumbres.

Zacarias e Ezequiel tiveram inúmeras visões do que acontece por trás da história, e registraram-nas em cenas que deixaram os estudiosos estupefatos. Daniel teve uma lição sobre a perspectiva cósmica (cap. 10), quando um anjo lhe explica que "o príncipe do reino da Pérsia" o impedira de responder à oração de Daniel durante vinte e um dias. Finalmente, depois de um atraso de três semanas, chegaram os reforços, e Miguel, um dos anjos principais, o ajudou a vencer a oposição. Semelhantemente a Jó, Daniel desempenhou um papel decisivo na guerra entre as forças cósmicas do bem e do mal, mesmo que muito da ação tenha ocorrido além do seu campo de visão.

Apocalipse, o único livro do Novo Testamento com ênfase na profecia, oferece os exemplos mais vívidos da perspectiva cósmica. Analise Apocalipse 12, que certamente está entre os capítulos mais estranhos da Bíblia. Ele versa sobre uma mulher grávida vestida com o sol, um enorme dragão vermelho de sete cabeças, cuja cauda derruba um terço das estrelas do céu, uma fuga ao deserto e uma guerra no céu. Se você fizer uma busca pelos comentários, achará tantas opiniões quanto comentaristas, mas quase todos dizem que tem alguma relação com a Encarnação, a fuga de José e Maria de Herodes para o Egito e os efeitos ampliados do nascimento de Jesus sobre todo o universo.

Em certo sentido, Apocalipse 12 apresenta o outro lado do Natal, acrescentando um conjunto de imagens holográficas às cenas já conhecidas da manjedoura, dos pastores e da matança dos inocentes. O que aconteceu na terra e foi registrado por Mateus e Lucas são ondas na superfície; abaixo, erupções de imensas proporções estavam abalando os fundamentos do universo. Da perspectiva de Deus — e de Satanás — o Natal é mais do que o sinal do nascimento de um bebê; foi uma invasão, o avanço decisivo na grande batalha pelo cosmo.

Qual é o verdadeiro quadro do Natal, o relato dos evangelhos ou o de Apocalipse? Será que o enorme dragão vermelho deve ser entendido literalmente ou "somente" como uma figura de linguagem? Essa formulação já nos delata. Como C. S. Lewis e outros nos lembram, as imagens míticas servem de excelentes portadoras da verdade. Quando Deus realmente queria comunicar algo muito forte a seus profetas, dava-lhes acesso a uma perspectiva de observação cósmica rica em imagens míticas.

Seria ir longe demais dizer que a perspectiva cósmica é o que mais se assemelha à forma em que o próprio Deus vê a história? Deixe-me explicar. A maioria de nós prefere uma versão mais literal, jornalística. Quando encontramos imagens cósmicas, como as de Apocalipse, imediatamente tentamos explicá-las, para transportá-las ao nosso vocabulário histórico. É por isso que os palestrantes de conferências sobre a profecia pregam lençóis por toda plataforma da igreja e explicam as visões de Daniel falando de Jerusalém, China e União Européia, e talvez até de Saddam Hussein. Quando temos um relance da visão cósmica, temos a tendência de traduzir isso para o nosso nível.

Não obstante, como os profetas dizem, as vicissitudes da história que se nos defrontam — alianças militares, quem será eleito, o surgimento e a queda de reinos — são somente o palco em que a verdadeira batalha está sendo travada. A questão que importa não é "Quanto território Nabucodonosor (ou a Rússia, ou a China) está controlando?", mas "O reino de Deus está avançando? O povo de Deus está sendo fiel? Cremos de fato que Deus reina?".

Quando nasceu um bebê, o universo tremeu. Quando 72 discípulos foram a campo para uma rápida tarefa missionária (Lc 10), Satanás caiu como um raio do céu. O que acontece aqui na terra afeta o futuro do cosmo. Da perspectiva de Deus, o futuro já foi definido, e os profetas expressam esse futuro em detalhes reluzentes: espadas transformadas em lâminas de arado, o cordeiro deitado ao lado do leão, um banquete. É isso que Deus quer para este mundo, e é isso que vai cumprir nesta terra. O fim já está decidido. O que resta é saber se vamos viver crendo nisso.

Que diferença faz?

Richard Foster repete uma antiga história dos judeus a respeito de um menino que foi ao profeta e disse:

— Profeta, você não está vendo? Você vem profetizando há quinze anos e nada acontece. Por que você continua profetizando?

E o profeta respondeu:

— Você não sabia, menino, que não estou profetizando para transformar o mundo, mas para evitar que o mundo me transforme?

Não podemos compreender totalmente a perspectiva cósmica, e às vezes todos nos sentimos esmagados pelas contradições avassaladoras do nosso mundo. Como Jó, como os salmistas, como Habacuque e Jeremias, questionamos a sabedoria de Deus, seu poder e seu amor. Presos ao tempo, vemos a história segundo após segundo, minuto após minuto, hora após hora. Os profetas nos chamam para além dos temores e da dura realidade da história presente para a perspectiva que enxerga toda a eternidade, para um tempo em que o reino de Deus encherá a terra com luz e verdade. É isso que Habacuque quis dizer com a famosa expressão "o justo viverá por fé": apegamo-nos à crença na bondade de Deus mesmo num mundo caindo aos pedaços.

Em suma, os profetas oferecem esperança. No livro *Recordações da casa dos mortos*, Dostoievski conta sobre um judeu ortodoxo que cumpria fielmente seus deveres religiosos no interior de uma prisão russa. Cobria uma mesa no canto da cela, abria um livro, acendia velas, afixava as tiras de couro ao braço e à testa e começava a orar. Ao ler o livro sagrado, repentinamente cobria a cabeça com as duas mãos e soluçava. Mas, logo em seguida, para a surpresa de todos os que o estivessem observando pela primeira vez, interrompia os soluços, dava uma forte risada e cantava um hino de triunfo. Quando lhe perguntaram sobre esse comportamento estranho, o judeu respondeu que os soluços e as lágrimas eram provocados pela destruição de Jerusalém. A lei exigia que gemesse e batesse no peito. No momento de maior tristeza, no entanto, deveria lembrar a profecia segundo a qual um dia os judeus retornariam a Jerusalém, e isso o colocava num estado de alegria incontrolável. A esperança afastava qualquer outro sentimento.

Que diferença essas visões proféticas da antigüidade fazem a nós que estamos presos neste mundo caído? Despertam em nós o que esperamos ser absolutamente verdadeiro. Faria alguma diferença para os negros dos centros urbanos dos Estados Unidos, ou para os cristãos em prisões muçulmanas saber o que Deus sente sobre a sua causa? Fez diferença para os escravos do Sul dos Estados Unidos acreditar que Deus não estava satisfeito com um mundo em que existem senhores armados com chicotes e cordas de linchamento? Faria alguma diferença para qualquer um de nós saber que Deus é de fato um Deus de justiça, de paz e de esperança, não importando as aparências deste mundo?

Os profetas nos chamam a atenção para uma realidade mais profunda, para "alegrias além das paredes do mundo, mais profundas do que o luto" (frase de Tolkien). Ao deixar vislumbrar o futuro e o presente cósmico, fazem com que acreditemos num Deus justo, apesar de tudo. A justiça é essencial para os profetas, porque a reputação de Deus depende do fato de conseguir impor sua justiça ao mundo. Como um sino dobrando em outro mundo, os profetas anunciam que, não importa a aparência das coisas agora, só o bem, não o mal, tem futuro.

Quando vivemos num mundo limitado pelo tempo como o nosso, é necessário ter fé para crer na visão que Deus tem da história segundo Isaías 25 e 65 ou Apocalipse 21 e 22. A fé, segundo Hebreus 11, é a "certeza das coisas que se esperam, e a prova das coisas que não se vêem". Os fiéis alistados nesse capítulo fabuloso não viram cumpridas as promessas nesta vida (v. 13), e me identifico com esses homens e mulheres, pois até hoje também não vi muitas espadas sendo transformadas em lâminas de arado. A morte, com todas as suas horríveis mutações de AIDS e câncer, ainda está tragando as pessoas, e não sendo tragada. O mal, não o bem, parece estar vencendo.

Por meio de imagens estranhas e complexas, os profetas apresentam uma cosmovisão totalmente diferente. Oferecem esperança, e algo mais: um desafio de vivermos o "mundo-como-Deus-o-quer" nesta vida, exatamente agora. Nas decisões a respeito do reino de Deus, podemos participar da grande batalha que um dia abrirá caminho para o novo céu e a nova terra.

Talvez nunca entendamos os artelhos e os chifres das bestas de Daniel, ou os detalhes de Apocalipse 12. Mas, se ao menos pudermos crer que a nossa batalha é de fato contra principados e potestades; se ao menos pudermos crer que Deus é confiável e consertará tudo o que está errado; se ao menos pudermos demonstrar a paixão de Deus pela justiça e pela verdade neste mundo — aí, creio eu, os profetas cumpriram sua missão mais importante e necessária.

Confesso que, apesar das longas horas de estudo sobre os profetas, não adquiri uma compreensão mais clara do que acontecerá no próximo ano ou em 2025. Tenho, porém, uma idéia muito mais clara e concreta do que Deus quer que eu faça na minha vida exatamente agora. E, gradativamente, estou ganhando a confiança de acreditar no presente o que terá sentido completo somente quando visto a partir do futuro.

sete

Ecos preliminares de uma resposta final

SETE

Ecos preliminares de uma resposta final

A terra treme sob os pés de Jesus Cristo. O gato foi colocado no buraco dos ratos.

— Paul Claudel

Lembro-me de quando viajava de carro pelo interior da Geórgia, meu estado de origem. Lá no Sul, naquela época, a religião era tão onipresente quanto batatas fritas e futebol americano nos colégios. Às vezes eu via nas pontes das rodovias ou nos viadutos das ferrovias um anúncio pintado à mão por algum irmão fervoroso: "Jesus voltará em breve — você está preparado?" ou "Prepara-te para te encontrares com teu Deus!". Mas o espírito de desrespeito da década tinha se infiltrado até no cinturão bíblico. Numa rocha grande abaixo da frase "Jesus é a resposta", alguém tinha rabiscado: "E qual é a pergunta?".

Aquele diálogo de beira de estrada começou a me perseguir, e mais tarde o vi aparecendo em pôsteres e adesivos de carros. Talvez a intenção do pichador tenha sido somente uma brincadeira irreverente,.mas ele tinha de fato atingido a questão central da apologética cristã. Seguir a Jesus? Só se ele satisfizer alguns anseios profundos que nada mais satisfaça.

Aprendi a amar o Antigo Testamento porque expressa de forma muito precisa meus anseios interiores. Encontro nele um realismo a respeito da natureza humana que lamentavelmente está ausente de tanta propaganda cristã do tipo "Sorria, Jesus te ama". E, mesmo assim, os autores do Antigo Testamento, especialmente os salmistas e os profetas, apontam adiante para um tempo em que Deus prometeu tratar desses anseios, responder às perguntas que nunca cessam de incomodar. Essas perguntas angustiantes, prometem os autores, encontrarão solução pelo menos parcial quando o Messias vier.

Deuteronômio prefigura o fracasso da aliança de Deus com seu povo, expressando em detalhes aterrorizantes o que acontecerá quando os hebreus voltarem as costas a Deus. As repetições tristes que os profetas fazem do canto do cisne de Moisés sublinham esse fracasso. Não só a nação fracassa, mas cada indivíduo deixa de guardar a aliança. Os livros sapienciais, especialmente Eclesiastes, demonstram cabalmente a impotência do conhecimento, da riqueza e dos genes na transformação da base do caráter humano. Assim, no final do Antigo Testamento o abismo entre Deus e os seres humanos está maior do que nunca.

Quando escrevi um livro a respeito de Jesus (*O Jesus que eu nunca conheci*), fiquei impressionado com a forma meticulosa com que Jesus se via vinculado ao Antigo Testamento. "Não penseis que vim destruir a lei ou os profetas; não vim para destruí-los, mas para cumpri-los", ele disse no Sermão do Monte. Ele reprovou os críticos judeus: "Examinais as Escrituras, porque pensais ter nelas a vida eterna. São estas mesmas que testificam de mim, contudo não quereis vir a mim para terdes vida". E no caminho para Emaús após a sua ressurreição ele disse: "São estas as palavras que vos falei estando ainda convosco: que era necessário que se cumprisse tudo o que de mim estava escrito na lei de Moisés, nos Profetas e nos Salmos". Tomo de empréstimo uma frase de H. Richard Niebuhr, que diz que Jesus é a Pedra de Roseta da fé, cuja existência explica tudo o que ocorrera antes.

O Antigo Testamento conta a história da criação e da queda, depois os esforços incansáveis de Deus para edificar uma nação a partir dos escombros do fracasso humano. O Novo Testamento mantém a trama básica intacta, mas reinterpreta a moral da história. Identifica Jesus com o "descendente da mulher" prometido no jardim do Éden, e então o vincula a outras personagens centrais: o "Segundo Adão", o "Filho de Abraão", o "Filho de Davi".

Em certo sentido, toda a história do Antigo Testamento serve de preparo para Jesus, e as personagens de suas páginas proporcionaram uma família, uma identidade e uma raça na qual Jesus pudesse nascer. O que Deus tinha em mente com a longa e tortuosa história dos hebreus? A resposta do Novo Testamento é inequívoca: Jesus é o que Deus tinha em mente. Ele veio reconciliar a humanidade com Deus, estendendo o reino divino além das fronteiras da raça para o mundo todo.

"Em toda a Bíblia há duas partes: a lei e o evangelho", disse Filipe Melâncton. "A lei detecta a doença, o evangelho mostra o remédio." Isso me faz voltar às palavras pichadas naquela pedra na Geórgia. Jesus é o remédio de quê exatamente? Para quais perguntas Jesus me oferece as respostas? Estou me apegando à fé por costume, como um sotaque regional que aprendi na infância e do qual não consigo me livrar? Ou será que Jesus tem de fato a resposta para alguma questão fundamental da minha existência? Se não tiver, é melhor me converter ao judaísmo e ler somente o Antigo Testamento.

Ao pensar a respeito do Antigo Testamento, especialmente das partes de que tratei neste livro, três perguntas continuam me incomodando em diferentes formas — as mesmas três que atraem a maioria das minhas dúvidas. Volto-me muito freqüentemente ao Antigo Testamento porque ele trata dessas três questões: "Eu sou importante?", "Será que Deus se importa?" e "Por que ele não age?". Esses são os divisores de água da minha fé. Se Jesus é a resposta, então de alguma forma ele tem de tratar dessas três perguntas.

Eu sou importante?

Estou na fila da caixa do supermercado e olho à minha volta. Vejo adolescentes e jovens com cabeças rapadas e *piercings* no nariz, revirando os pacotes de salgadinhos; um *yuppie* comprando filé, alguns aspargos e uma batata assada; uma senhora idosa abatida pela osteoporose, apertando e machucando pêssegos e morangos. Será que Deus conhece todas essas pessoas pelo nome? — me pergunto. Será que elas são realmente importantes para ele?

Às vezes, quando assisto nos noticiários noturnos a cenas de protestos favoráveis ou contrários ao aborto, tento imaginar os que não nasceram e estão desencadeando essa animosidade. Já vi fetos expostos em vidros nos museus para ilustrar os estágios do desenvolvimento humano. Seis milhões desses fetos são descartados no mundo a cada ano — *assassinados*, dizem os protestadores. A imagem de Deus está em cada um deles, dizem os teólogos. O que Deus pensa de seis milhões de seres humanos que morrem sem nunca chegar a ver o que há fora de um útero? Fico pensando: "Será que eles importam para Deus?".

O que sei sobre astronomia também alimenta a minha dúvida. Cientistas afirmam que o Sol é talvez uma entre 500 bilhões de estrelas da Via Láctea, galáxia de tamanho médio entre 200 bilhões de outras galáxias, todas abarrotadas de estrelas. Será que uma pessoa num pontinho de um planeta, num pontinho do sistema solar, num pedaço medíocre de uma galáxia realmente faz diferença para o Criador desse universo?

"Quando contemplo os teus céus", diz um salmista (que talvez enxergasse as coisas como eu) ao admirar as estrelas, "que é o homem, que dele te lembres?". Cada livro do Antigo Testamento que analisei gira em torno dessa questão. Sofrendo no Egito, os hebreus quase não conseguiam acreditar na confiança que Moisés tinha de que o próprio Deus estava se importando com a causa deles. Os amigos de Jó se riram da noção absurda de que o ínfimo Jó era importante para o Senhor do universo. O Pregador de Eclesiastes teria formulado a frase de forma mais sarcástica: "Será que existe *alguma coisa* debaixo do sol que importe? A vida não é completamente sem sentido?".

Eu estava me ocupando com essas dúvidas há alguns anos quando recebi uma carta me convidando para falar numa conferência cristã na Nova Inglaterra. A carta-convite informava o tema da conferência, um versículo de Isaías 49: "Vê, nas palmas das minhas mãos te gravei". Tive de rir diante da ironia da ocasião. Na minha mente não me sentia preparado para consolar os santos da Nova Inglaterra com o tipo de versículo que muitas vezes se acha em quadros de fé bordados e pendurados nas paredes. Pensei em declinar do convite ou pedir para falar sobre outro tema. Antes de fazê-lo, no entanto, abri o livro de Isaías e li o contexto daquele versículo.

Descobri que Deus estava fazendo essa declaração impressionante a pessoas que passavam, talvez, pelo momento mais desesperador de todo o Antigo Testamento. Israel tinha sido aniquilado, a cidade santa de Jerusalém estava profanada. Não houve resistência aos soldados babilônios quando entraram no Santo dos Santos do templo; dessa vez, Deus não salvou seu povo. Com o templo profanado, a capital arrasada, os hebreus foram arrastados por correntes para a Babilônia (onde hoje é o Iraque).

O salmo 137 expressa o que sentiam as pessoas do povo de Deus da época:

> Junto aos rios de Babilônia
> nos assentamos e choramos [...]
> Se eu me esquecer de ti, ó Jerusalém,
> esqueça-se a minha destra da sua destreza.
> Apegue-se-me a língua ao paladar,
> se me não lembrar de ti [...]
> Ó filha da Babilônia, condenada à destruição,
> feliz aquele que te retribuir
> pelo que nos fizeste;
> feliz aquele que pegar em teus filhos
> e der com eles nas pedras.

De repente clareou para mim a idéia de que os hebreus na Babilônia que receberam a mensagem de Isaías 49 estavam agonizando sobre exatamente as mesmas questões que estavam me afligindo. *Somos de fato importantes para Deus?* É isso que significa sermos o povo escolhido de Deus — ter a terra arrasada, nossas cidades derrubadas, nossas mulheres e filhos assassinados, nossos guerreiros arrastados para o exílio? Perguntas semelhantes foram feitas por anabatistas, huguenotes, armênios, pentecostais da Rússia, cristãos palestinos, sudaneses e outros cristãos que sofreram ao longo dos séculos.

"O Senhor me desamparou, o Senhor se esqueceu de mim", os hebreus lamentam durante esse tempo de crise (Is 49.14), e é a essas pessoas que Deus faz um voto. "Pode uma mulher esquecer-se do filho que ainda mama", Deus pergunta retoricamente. "Mas ainda que esta se esquecesse, eu, todavia, não me esquecerei de ti. Vê, nas palmas das minhas mãos te gravei".

Nesse momento sem esperança, o nadir do Antigo Testamento, Deus dá uma série de promessas em resposta direta às questões que estão atormentando os hebreus. Os estudiosos da Bíblia as chamam de Cânticos do Servo, e estão inseridos em Isaías de 42 a 53. São ao mesmo tempo poesia elevada e profecia na essência, algumas das profecias mais claras que temos. Juntos, os Cânticos do Servo preparam o palco para o Messias, a resposta de Deus às indagações dos hebreus.

Deus na verdade coloca sua reputação em jogo. Responderá às reclamações amargas dos hebreus com um ato de ousadia, imaginação e coragem, o qual ninguém teria sido capaz de sonhar, um fato que testará os limites da credibilidade humana e da humilhação divina. Deus concorda em juntar-se a eles no planeta Terra "para inscrever-se nas páginas da história", nas palavras de Jacques Ellul. Os misteriosos Cânticos do Servo predizem abertamente a Encarnação (como o Novo Testamento destaca pelo menos dez vezes).

Os judeus, criados junto às imagens vulcânicas do Sinai, com reverência tão profunda por Deus, que não escreviam nem pronunciavam seu nome, estavam esperando com temor, não somente com esperança, a vinda do Messias. "Mas quem suportará o dia da sua vinda?", clama o profeta Malaquias em angústia, "... Porque ele é como o fogo do ourives e como o sabão dos lavandeiros". Se o Senhor dos Exércitos fizesse uma visita pessoal ao corrupto planeta Terra, será que algum de seus habitantes sobreviveria? Será que a Terra sobreviveria?

No entanto, como esclarece Isaías, o Deus que visita a Terra não surge num vento violento, nem num fogo devastador. "A virgem conceberá, e dará à luz um filho, e será o seu nome Emanuel [que quer dizer Deus conosco]". Em vez disso, aparece na forma menor e menos ameaçadora possível: como um óvulo, depois um feto crescendo de célula em célula no útero de uma camponesa virgem. Aquele óvulo se divide muitas e muitas vezes até que o feto começa a tomar forma, e finalmente um bebê salta do ventre de Maria para se unir aos ínfimos seres humanos no torrão de um planeta.

O Messias governa, sem dúvida, mas com o cetro do amor. Quem poderá suportar o dia da sua vinda? Qualquer pessoa; ele aceita com amor e satisfação todos os que vierem a ele.

Na verdade, o feriado que celebramos no Natal faz lembrar a resposta que Deus deu à pergunta dos hebreus *Será que somos importantes?* Aqui na terra, Deus experimentou na carne por 33 anos o que é ser um de nós. Nas histórias que contou e nas pessoas cujas vidas tocou, Jesus respondeu de uma vez por todas a essa pergunta renitente.

Jesus disse que Deus é como um pastor que deixa 99 ovelhas no aprisco para ir em busca frenética da única que se perdeu; como um pai que não consegue parar de pensar no filho ingrato, mesmo tendo outro que lhe obedece e o respeita; como um anfitrião rico que abre as portas da sala de banquete para um bando de pedintes e vagabundos. Deus ama as pessoas não como raça ou espécie, mas como você e eu as amamos: uma de cada vez. *Somos importantes* para Deus. Num breve momento em que Jesus puxou a cortina entre o mundo visível e o invisível, ele disse que os anjos se alegram com cada pecador que se arrepende. Um ato solitário acontecido neste pequeno planeta reverbera por todo o cosmo.

Em seus contatos sociais, Jesus saía do caminho normal para abraçar os não amados e indignos, aqueles sem muita importância para o resto da sociedade, mas muito importantes para Deus. As pessoas com lepra, em quarentena fora dos muros da cidade, Jesus as tocou mesmo que seus discípulos retrocedessem com repulsa. À mulher de raça mista que já tinha tido cinco maridos e com certeza era o centro da indústria da fofoca da cidade, Jesus a usou como primeira missionária. Outra mulher, envergonhada demais sobre sua condição humilhante para se aproximar de Jesus face a face, tocou sua vestimenta, torcendo para que ele não notasse. Mas ele a notou. Ela aprendeu, como tantos outros "desconhecidos", que não é fácil escapar do olhar de Jesus. Somos importantes demais.

O romancista Reynolds Price disse que há uma frase que toda a humanidade anseia escutar: "O Criador de todas as coisas me ama e me quer". Essa foi a frase que Jesus proclamou, tão alto quanto um doce trovão. O Criador de todas as coisas é o Criador de todos os seres humanos, uma espécie ímpar que ele inexplicavelmente considerou digna de atenção e amor individual. Ele demonstrou esse amor em pessoa, nas colinas enrugadas da Palestina e por fim numa cruz.

Jesus viveu o que os profetas haviam falado. "Vê, nas palmas das minhas mãos te gravei", Deus disse na época de Isaías. Quando visitou a terra na forma de Servo, mostrou que a mão de Deus não é grande demais para a menor pessoa do mundo. Essa mão tem gravado cada um de nossos nomes, e tem também feridas marcadas, o preço que Deus pagou por nos amar tanto.

Minhas dúvidas, eu confesso, são mais parecidas com uma incapacidade do que com uma doença: nunca desaparecem completamente. Mas, quando agora fico me revolvendo em autocomiseração, dominado pela dor da solidão cósmica tão bem expressa em livros como os de Jó e Eclesiastes, volto-me para o relato das histórias e dos atos de Jesus nos evangelhos. Se concluo que a minha existência "debaixo do sol" não faz diferença para Deus, contradigo uma das principais razões pelas quais Deus veio à terra. Para a pergunta *Será que sou importante?* Jesus é de fato a resposta.

Será que Deus se importa?

No livro *The soul of the night* [*A alma da noite*], o astrônomo Chet Raymo conta a seguinte história:

> Ontem, no centro de Boston, vi um jovem num *skate* colidir com uma criança. O rapaz do *skate* estava a toda velocidade pela calçada e bateu na criança com força. Vi isso acontecendo de uma distância considerável. Aconteceu sem som algum. Aconteceu num silêncio mortal. O grito da criança aterrorizada ao correr para tentar escapar do *skate* e o grito estridente da mãe da criança no momento do impacto foram absorvidos pelos casacões cinza daquele dia de novembro. O corpo da criança foi simplesmente alçado ao ar e, em câmera lenta, como num sonho, flutuou acima da calçada, quicou duas vezes como uma bola de borracha e ficou estirado imóvel no chão.

> Tudo isso aconteceu em absoluto silêncio. Foi como se eu estivesse observando a tragédia por um telescópio. Foi como se eu estivesse vendo a tragédia de outro planeta. Observei estrelas explodindo no espaço, explosões colossais, estilhaçando planetas, anos-luz de distância, emolduradas no vidro frio de um telescópio, em absoluto silêncio. Foi algo assim.

Raymo acrescenta mais uma frase: "Como devemos entender o silêncio do universo?". Essa pergunta persegue o restante do livro dele, e ele volta a ela muitas vezes ao contar como perdeu a fé que tinha quando era criança. Para Chet Raymo e para tantos outros, o silêncio de Deus em vista do sofrimento da terra propõe uma pergunta sem resposta.

O fato de eu ser cristão torna a pergunta de Raymo mais difícil para mim, não mais fácil. Para quem vê o universo como produto do caos e do acaso, o que deveríamos esperar se não silêncio? Mas como nós, que vemos o universo como produto do amor criativo de Deus, podemos prestar contas do silêncio? Como podemos crer que Deus se importa?

Muito da minha carreira de escritor tem girado em torno do problema do sofrimento. Os títulos dos meus livros — *Deus sabe que sofremos, Decepcionado com Deus* — me traem. Como Chet Raymo, volto sempre às mesmas questões, como se estivesse mexendo numa ferida que nunca cicatriza direito. Escuto os leitores de meus livros, e as histórias de angústia que contam dão rostos humanos às minhas dúvidas.

Menciono em outro livro a semana de angústia que tive quando duas pessoas me ligaram para falar de suas experiências de decepção com Deus. Um deles, pastor de jovens no Colorado, tinha descoberto naqueles dias que a esposa e a filha recém-nascida estavam morrendo de AIDS. A mãe tinha recebido sangue contaminado por transfusão alguns dias antes do parto. "Como posso falar ao meu grupo de jovens de um Deus que ama?", ele me perguntou. "Como posso dizer a eles que Deus se importa?"

Naquela mesma semana me ligou também um cego, de um telefone público. Algumas semanas antes, tinha convidado um viciado em drogas para morar em sua casa num ato de misericórdia. Ele tinha descoberto naquele dia que o homem estava abusando sexualmente de sua esposa — debaixo de seu teto. "É como se Deus estivesse me castigando por tentar servi-lo", ele disse. Por ser cego, tinha começado a imaginar tudo que poderia ter acontecido. Será que o viciado em drogas tinha forçado sua esposa, ou será que ela tinha participado voluntariamente? Aí ele perdeu o controle e o telefone ficou mudo. Silêncio.

Aprendi a nem mesmo tentar uma resposta para as perguntas "Por quê?". Por que justamente a esposa do pastor de jovens recebeu sangue do frasco contaminado? Por que o furacão assalta uma cidade do Oklahoma e "pula" a seguinte? Por que a criança daquela mulher foi atropelada por um skatista em Boston? Não sei, e, para ser bem sincero, depois de muito estudo concluí que a Bíblia também não dá a resposta. No discurso a Jó, quando Deus teve a oportunidade de ouro de nos esclarecer a respeito da questão das causas, Deus evitou o assunto completamente.

Há uma pergunta, no entanto, que já não me aflige como antes. A indagação *Será que Deus se importa?* está escondida por trás da história agonizante a respeito do silêncio do universo. Também está por trás de grande parte do Antigo Testamento. Jó de forma relutante concluiu que não, Deus não pode estar se importando com ele ou com outras pessoas em sofrimento. "Que leve sussurro temos ouvido dele!", Jó suspirou. Os salmistas clamavam por algum sinal de que Deus estava ouvindo suas orações, alguma evidência de que não os tinha abandonado.

Só sei uma maneira de responder a pergunta *Será que Deus se importa?* — e para mim tem sido decisiva: Jesus é a resposta. Jesus nunca tentou uma resposta filosófica ao problema da dor, mas deu uma resposta existencial. Mesmo que não aprenda com ele por que um mal específico ocorre, posso saber como Deus se sente a respeito disso. Jesus dá um rosto a Deus, e esse rosto está molhado com lágrimas.

Sempre que leio a Bíblia de ponta a ponta, uma diferença enorme entre o Antigo e o Novo Testamento vem à tona. No Antigo Testamento posso encontrar muitas expressões de dúvida e decepção. Livros inteiros — Jeremias, Habacuque, Jó — focalizam o mesmo tema. Como já disse, boa parte dos salmos tem um tom sombrio. Em marcante contraponto, as epístolas do Novo Testamento contêm pouco desse tipo de angústia. O problema do sofrimento com certeza não desapareceu: Tiago 1, Romanos 5 e 8, todo o livro de 1 Pedro e grande parte de Apocalipse tratam do problema em detalhes. Não obstante, não acho em nenhum lugar a indagação angustiante *Será que Deus se importa?* Não vejo nada da acusação do salmo 77: "Esqueceu-se Deus de ter misericórdia?".

A razão da mudança, creio eu, é que Jesus respondeu a essa pergunta para as testemunhas que escreveram as epístolas. Em Jesus, Deus nos apresenta um rosto. Qualquer pessoa que ficar pensando sobre como Deus se sente a respeito do sofrimento neste planeta que geme, pode simplesmente olhar para esse rosto. Tiago, Pedro e João tinham seguido a Jesus por tempo suficiente para que as expressões faciais dele ficassem permanentemente gravadas em suas mentes. Ao ver Jesus atender à mulher com hemorragia, a um centurião de luto, ao filho morto de uma viúva, a um menino epiléptico, a um velho cego, aprenderam sobre como Deus se sente em relação ao sofrimento. De forma alguma Jesus resolveu o "problema do sofrimento" — ele curou somente alguns só num canto do globo —, mas trouxe uma resposta à indagação *Será que Deus se importa?*

Sabemos de três vezes em que o sofrimento levou Jesus às lágrimas. Chorou quando seu amigo Lázaro morreu — o que me dá um sinal forte de como Deus deve se sentir quando meus familiares morrem.

Em outra situação, Jesus lamentou quando olhou para Jerusalém e percebeu o destino que aguardava aquela cidade encantadora. "Jerusalém, Jerusalém! que matas os profetas e apedrejas os que te são enviados! quantas vezes quis eu ajuntar os teus filhos, como a galinha ajunta os seus pintinhos debaixo das asas, e tu não quiseste!", ele suspirou em certo momento (Mt 23.37), usando uma imagem que ele deve ter tirado do ambiente rural da Galiléia. Após um incêndio na fazenda, o fazendeiro achará os cadáveres de galinhas carbonizadas, asas estendidas sobre o chão do galpão. O fazendeiro toca com o pé o cadáver e dali saem correndo pintinhos vivos. A mãe os protegeu do fogo, sacrificando a própria vida. É isso que Jesus ansiava: levar o castigo vicário por seu povo.

Finalmente, Hebreus nos diz (5.7) que Jesus ofereceu "com grande clamor e lágrimas, orações e súplicas ao que o podia livrar da morte". Mas evidentemente não foi salvo da morte. No Getsêmani e no Calvário vemos essa cena incrível a que Lutero se referiu como "Deus lutando com Deus". É demais afirmar que o próprio Jesus fez as indagações que perseguem a mim, e perseguem a todos nós em algum momento da vida? *Será que eu sou importante? Será que Deus se importa?* Qual poderia ser, se não este, o significado da citação que fez do salmo 22: "Deus meu, Deus meu, por que me desamparaste?".

Quando Jesus enfrentou a dor, reagiu como a maioria de nós. Ele não orou no jardim: "Ah, Senhor, estou tão grato que me tenhas escolhido para sofrer por tua causa — regozijo-me com o privilégio!". Não, ele experimentou tristeza, medo, abandono e algo próximo do desespero: "Pai, se queres, passa de mim este cálice". Sempre atento a detalhes do corpo, Lucas acrescenta: "Em agonia, orava mais intensamente. O seu suor tornou-se em grandes gotas de sangue, que corriam até o chão".

Talvez não encontremos em Jesus a resposta ao problema do sofrimento. Em vez disso, recebemos a misteriosa resposta de que Deus sofre conosco. Não estamos sós. Por meio do seu corpo, Jesus reconstrói a confiança em Deus. Por causa de Jesus, posso confiar que Deus realmente entende minha condição. Posso ter a certeza de que sou importante para Deus, e que Deus se importa comigo, independentemente das aparências à minha volta. Quando começo a duvidar, volto-me de novo para o rosto de Jesus, e lá vejo o amor compassivo de um Deus que conhece bem a tristeza.

Por que Deus não age?

Em certos momentos da história dos israelitas, a indagação *Por que Deus não age?* jamais teria passado pela mente deles. Pense na multidão à qual Moisés se dirigiu no livro de Deuteronômio, por exemplo. Criados no deserto do Sinai, lembrando as provisões miraculosas de água e alimento e tendo evidência visível da presença de Deus suspensa numa nuvem acima deles, provavelmente nem imaginavam uma pergunta dessas. Se tentassem, Moisés e os poucos idosos sobreviventes rapidamente os lembrariam das dez pragas, da divisão do mar Vermelho e da derrota do poderoso exército egípcio.

Contudo, volte alguns anos e encontrará uma raça inteira de céticos, dentre os quais o próprio Moisés. Durante quatro séculos — para você ter uma boa idéia disso, pense no que aconteceu na nossa história nesses últimos quatro séculos —, eles tinham clamado a Deus a respeito das condições terríveis no Egito. O povo escolhido de Deus era uma piada entre as nações, meros escravos sendo explorados pelo Faraó. Quantas vezes os hebreus tinham clamado "Deus, por que tu não ages?", antes que Moisés finalmente aparecesse para desafiar a dúvida deles?

O profeta Elias enfrentou uma multidão de céticos semelhante e silenciou todas as suas indagações com um show pirotécnico no monte Carmelo. Só que, mais tarde, ele também se acovardou numa caverna, indisposto com o fato de que Deus não se livrava do rei Acabe e de sua brutal esposa, Jezabel. Outros profetas, entre eles os respeitados Isaías e Jeremias, devem ter olhado para trás e invejado Elias, pois este tinha tido pelo menos alguns momentos de glória inquestionável. A Bíblia não registra nenhum milagre desses "profetas da palavra", e muitos acabaram morrendo como mártires por seus esforços.

Malaquias é a última voz do Antigo Testamento, e seu livro serve de bom prelúdio para os quatrocentos anos seguintes de silêncio bíblico. Da perspectiva dos israelitas, aqueles eram anos de poucas expectativas. Tinham retornado do cativeiro babilônico para a sua terra, mas aquela terra ainda era uma província de fundo de quintal para os persas (depois gregos e romanos — os exércitos desses impérios faziam fila para marchar por Israel). O templo reconstruído era uma triste imitação da maravilha arquitetônica de Salomão. O altivo futuro de triunfo e paz mundial descrito pelos profetas parecia um sonho distante.

Uma melancolia geral tomou conta dos judeus, uma decepção para com Deus visível nas reclamações e também nos atos. Como as pessoas diziam na época: "Inútil é servir a Deus; que nos aproveitou termos cuidado em guardar os seus preceitos...?". Essa última indagação incomodou os judeus durante séculos depois que Malaquias e os outros últimos profetas tinham desaparecido de cena. Eles já não viam milagres, intervenções espetaculares e não ouviam palavras novas do Senhor. Será que Deus tinha se esquecido de ser misericordioso? Tinha tapado os ouvidos aos seus gemidos? O Antigo Testamento termina com um tom de frustração, de anseios não satisfeitos e de fraca esperança.

Jack Miles ressalta que a ordem dos livros na Bíblia hebraica expressa esse anseio de forma muito clara. A Bíblia que os cristãos usam vai do Pentateuco aos livros históricos, em seguida aos livros poéticos e depois aos profetas, terminando com Malaquias. Os judeus usam uma ordem diferente na sua *Tanakh*. Depois do Pentateuco (ou *Tora*), organizam seus livros em Profetas (incluindo alguns livros históricos como Josué, Juízes, Samuel e Reis) e depois um grupo chamado "Escritos".

Esta última seção começa com Salmos e continua com Provérbios, Jó, Cantares, Rute, Lamentações, Eclesiastes, Ester, Daniel, Esdras, Neemias e Crônicas. Miles observa que essa ordem reforça a crescente sensação que tinham do silêncio ou do recuo de Deus. Aliás, após o longo discurso no final de Jó, Deus não fala mais. Crônicas repete alguns dos discursos que Deus tinha feito antes, geralmente citando-os literalmente de outros livros. Cantares e Ester não mencionam Deus. Outros livros fazem referências a Deus e incluem orações a ele. Mas, depois de Jó, Deus não fala mais. Os anos de espera, os milênios de espera, estão chegando ao seu objetivo. Se a fome é o melhor cozinheiro — como dizia Lutero — então chegamos a Jesus, ao final do Antigo Testamento, em estado crítico de fome.

Tenho um amigo judeu que às vezes leva grupos de turistas a Israel. Ele descobriu rapidamente que há mais dinheiro nos grupos de evangélicos que estão fazendo viagens de peregrinação para a "terra santa". Foi contra a sua natureza estudar a vida de Jesus em detalhes, pois seus pais sempre o proibiram de mencionar o nome de Jesus. Ao fazê-lo, no entanto, e ao conhecer turistas cristãos que sabiam mais da história de Israel do que ele, ele se sentiu tocado por uma convergência impressionante.

Ele descobriu que os cristãos conservadores acreditavam que a história mundial estava caminhando para um ápice em que Israel teria papel fundamental. Ficavam falando sobre a "segunda vinda" de Jesus, citando as profecias que ele tinha aprendido na escola judaica. Ao prestar atenção a eles, descobriu que estavam esperando a mesma coisa: o Messias, o Príncipe da Paz, para restaurar justiça e paz a um planeta gravemente ferido. Os cristãos estavam esperando a segunda vinda do Messias; como judeu, ele ainda estava esperando a primeira. "Não seria incrível", ele me disse certa vez, "se descobríssemos que estávamos todos esperando a mesma pessoa?".

Para a pergunta *Por que Deus não age?* judeus e cristãos têm a mesma resposta, com uma diferença fundamental. Os judeus crêem que Deus agirá enviando o Messias. Os cristãos crêem que Deus já agiu enviando o Messias, e agirá mais uma vez enviando-o de novo, desta vez em poder e glória, não em fraqueza e humildade.

Assuntos pendentes

Certa noite, na véspera do Natal de 1988, eu estava sentado no Barbican Center em Londres ouvindo uma apresentação arrebatadora do *Messias* de Handel. Eu tinha chegado a Londres de manhã, comprei as entradas para a apresentação daquela noite e estava tentando ficar acordado ao caminhar pelo centro da cidade, parando para tomar café de quando em quando. Eu mal sabia o que me esperava aquela noite. Alguma coisa daquele concerto — meu corpo necessitando de sono, meio anestesiado pela cafeína, o ambiente de Londres, a apresentação em si — me transportou para bem mais perto dos dias de Handel. Para a minha surpresa, o evento foi não somente uma apresentação, mas um tipo de epifania, uma revelação chocante de toda a história cristã. De uma maneira que nunca havia experimentado antes, senti-me em condições de captar, além da música, a alma da peça.

Mais do que qualquer lugar no mundo, Londres valoriza o teatro, e esses artistas não estavam meramente cantando, eles estavam representando o drama das palavras do *Messias*. Ao relaxar na minha poltrona e ouvir os já conhecidos recitais do *Messias*, parte 1, foi fácil entender por que o oratório passou a ser associado à época do Advento (mesmo que Handel o tivesse escrito para a Páscoa). Handel começa com algumas profecias cadenciadas de Isaías a respeito de um Rei que virá e trará paz e conforto a um mundo perturbado e violento. A música cresce de um solo de tenor ("Consolai o meu povo...") para o coral completo, celebrando o dia em que a glória do Senhor será revelada.

Qualquer ouvinte, por mais musicalmente ingênuo que seja, pode sentir uma mudança ameaçadora no início da parte 2. Handel sinaliza o tom sombrio com acordes graves da orquestra em tom menor. O segundo ato trata da reação do mundo ao Messias, e a história é indescritivelmente trágica. Handel se baseia principalmente nas palavras de Isaías 52 e 53, esse relato extremamente vívido escrito séculos antes do nascimento de Jesus.

Todos os sons cessam por um momento, e após essa pausa dramática a contralto, sem acompanhamento, dá a notícia perturbadora: "Ele foi mal-tra-ta-do... re-jei-ta-do". Ela pronuncia cada sílaba com grande esforço, como se os fatos da história fossem duros demais de ser recitados. Violinos repetem cada frase musical no mesmo tom sombrio.

No Calvário, a história ficou suspensa no ar. As esperanças intensas que haviam sido geradas em torno do tão esperado libertador de Israel tinham desmoronado naquela noite fatídica. Pendurado como um espantalho entre dois ladrões, o Messias suscitava, na pior das hipóteses, desprezo, e, na melhor, pena. "Todos que o vêem desprezam-no e riem-se dele", diz o tenor, que em seguida acrescenta no momento de maior sofrimento do oratório de Handel: "*Olhai*, vede se há sofrimento como o dele".

Mas nem tudo está perdido! Alguns compassos mais tarde o tenor, o mesmo que gritou em desespero incontido, introduz o primeiro raio de esperança no *Messias*, parte 2: "Mas tu não deixaste a sua alma no inferno". Quase imediatamente todo o coral irrompe em exclamações de alegria, pois a derrota no Calvário foi apenas *aparente*. O cadáver de espantalho não continuou cadáver, pois ele era o Rei da Glória.

"Aleluia!", o coral exclama finalmente, e depois disso a música é elevada ao que é indiscutivelmente a parte mais conhecida do *Messias* de Handel, e uma das peças musicais de maior júbilo jamais compostas. O próprio Handel disse que, quando estava escrevendo o "Aleluia", "de fato pensei que estava vendo todo o Céu diante de mim, e o próprio grande Deus". "Rei dos Reis [...] Senhor dos Senhores [...] reinará para sempre e sempre" — Handel dá a cada frase o desenvolvimento esplêndido que merece. Quando o rei George I ouviu o "Aleluia" na *première* de 1742 em Londres, ele, o soberano da nação, ficou de pé em sinal de admiração, e as platéias desde então têm honrado seu tributo de respeito.

Alguns céticos alegam que o rei George levantou-se não por respeito, mas por pensar erroneamente que com o "Aleluia" o *Messias* de Handel estava chegando ao fim. Ainda hoje os novatos na platéia cometem esse mesmo erro. Mas quem os culparia? Após duas horas de apresentação, a música parece chegar ao auge nesse coro exuberante. O que mais seria necessário?

Nunca havia refletido sobre essa questão até aquela noite no Barbican Center. Mas, ao olhar as poucas páginas que ainda faltavam do livreto, meus olhos ardendo por falta de sono, percebi o que ainda estava faltando ao *Messias*, partes 1 e 2. Num ponto meu amigo judeu que leva grupos de turistas para Israel tem razão: Jesus de Nazaré não chega perto de cumprir as promessas fantásticas dos profetas. "Glória a Deus nas maiores alturas, e paz na terra entre os homens, a quem ele quer bem", exclamaram os anjos que anunciaram o nascimento de Jesus. A terra tem-se enchido de paz desde o nascimento de Jesus? Uma visita à terra natal dele certamente desabonará essa crença.

Quando minha esposa e eu estávamos voando para a Inglaterra naquele dia, nosso vôo nos levou por cima do Círculo Polar Ártico, que mesmo à noite podia ser visto brilhando a 10 mil metros abaixo, durante a estação do sol da meia-noite. Eu sabia que abaixo daquele círculo de gelo havia submarinos com armas atômicas capazes de destruir, cada um deles, centenas de milhões de pessoas. Quando aterrissamos em Londres, ouvimos a notícia de um desastre de trem, matando 51 pessoas; os jornais estavam cheios de fotos dos mortos. Naquela semana, um terrorista explodiu o vôo 103 da Pan Am sobre Lockerbie, Escócia, matando 270 pessoas. Era esse o mundo que Deus tinha em mente com a Criação? O mundo que Jesus tinha em mente com a Encarnação?

Por razões semelhantes a essas, o *Messias* de Handel não poderia terminar corretamente com o coro do "Aleluia". O Messias veio em glória (parte 1); o Messias morreu e ressuscitou (parte 2). Por que então o mundo permanece nesse estado lastimável? A parte 3 de Handel faz a tentativa de uma resposta. Além das imagens de Belém e do Calvário, a música busca uma imagem mais messiânica: Jesus, o Soberano Senhor. A Encarnação não trouxe o fim da história — somente o começo do fim. Há ainda muito trabalho a ser feito antes que a criação possa ser restaurada à intenção inicial de Deus.

Com um toque de maestria, a parte 3 do *Messias* é aberta com uma citação de Jó, aquela figura trágica que teimosamente se apegou à fé no meio de circunstâncias desesperadoras. "Porque eu sei que o meu Redentor vive e por fim se levantará sobre a terra", a soprano canta. Dominado pela tragédia pessoal, com pouca evidência de um Deus soberano, Jó mesmo assim conseguiu crer — e, Handel dá a entender, assim devemos também prosseguir crendo.

A partir dessa abertura desafiadora, *Messias*, parte 3, muda para as reflexões do apóstolo Paulo a respeito da morte de Cristo e depois segue rapidamente para a sua admirável descrição da ressurreição final ("A trombeta soará, os mortos ressuscitarão..."). A morte e a ressurreição física de Jesus representam a derrota decisiva do mal e um "eco preliminar" do que acontecerá um dia com todos os que estão nele. Deus agiu uma vez ao se juntar a nós neste planeta deplorável. Ele agirá de novo, ao voltar em poder e glória para restaurá-lo conforme o seu intento original.

Assim como a tragédia da Sexta-Feira Santa foi transformada no triunfo do Domingo de Páscoa, um dia toda guerra, toda violência, toda injustiça e toda tristeza serão também transformadas. Então, e somente então, seremos capazes de dizer: "Onde está, ó morte, a tua vitória? Onde está, ó morte, o teu aguilhão?". Só então serão resolvidas as questões agudas do Antigo Testamento. *Nós somos importantes? Será que Deus se importa?* Temos de viver em fé, sabendo que essas indagações não terão uma resposta definitiva até aquele dia decisivo, em que Deus agirá de forma espetacular na Segunda Vinda de Jesus.

Os autores do Antigo Testamento olhavam para trás, para o Deus da aliança que tinha expressado seu amor por seu povo tantas vezes, e também olhavam para frente, para o tempo em que Deus enviaria um Libertador. Nós que estamos vivendo mais tarde também temos uma visão dupla. Olhamos para trás, para a primeira vinda de Jesus, e vemos a prova irrefutável de que nós, indivíduos, somos importantes para o Deus do universo, a prova de que Deus se importa. Continuamos a olhar para frente, no entanto, para o trabalho inconcluso do Criador, para as promessas ainda não cumpridas dos profetas.

A obra-prima de Handel termina com uma cena singular congelada no tempo. Para ressaltar esse aspecto a respeito do Cristo da eternidade, o livreto poderia ter escolhido a cena de Apocalipse 2, em que Jesus aparece com o rosto brilhando como o sol e olhos como de fogo ardente. Em vez disso, seu texto termina com a cena de Apocalipse 4 e 5, talvez a imagem mais vívida de um livro repleto de imagens vívidas. Esse trecho prenuncia a consumação de toda a história.

Vinte e quatro anciãos (líderes) de postura admirável estão reunidos, juntamente com quatro seres viventes que representam os mais poderosos entre pássaros, animais domésticos, animais selvagens e seres humanos — o melhor de toda a criação. Essas criaturas e anciãos se ajoelham cheios de respeito diante do trono radiante, com relâmpagos e cobertos por um arco-íris. Um anjo pergunta quem é digno de quebrar o selo que abrirá o rolo da história? Em outras palavras, quem é digno de conduzir a história ao fim devido? Nem os seres viventes nem os 24 anciãos são dignos. O autor reconhece a importância daquele momento: "E eu chorava muito, porque ninguém foi achado digno de abrir o livro, nem mesmo de olhar para ele".

Além desses seres, incapazes de cumprir a esplêndida tarefa, há mais uma criatura em pé diante do trono brilhante. Mesmo que a aparência não seja muito recomendável, ele é a única esperança que a história tem. "Então, vi [...] um Cordeiro como tendo sido morto".

Um cordeiro! Um indefeso cordeiro, um cordeiro que tinha sido morto. Mas João, em Apocalipse, e Handel, no *Messias*, resumem toda a história nesta imagem misteriosa. O grande Deus que se tornou bebê, que se tornou cordeiro, que se tornou sacrifício — esse Deus que carregou nossas enfermidades e morreu nossa morte, ele é o único digno. É até aí que Handel nos leva, com o grande coro "Digno é o Cordeiro", concluindo com uma série de améns exultantes.

Os améns do Coral de Westminster ainda ecoavam no grande salão quando olhei em volta e refleti a respeito de mais algumas questões: quantos desses londrinos sofisticados, agora aplaudindo tão efusivamente, entendem o significado do que ouviram? Quantos crêem no que ouviram? Eles provavelmente poderiam concordar com as partes 1 e 2 do *Messias*: neste país de história e tradições cristãs, poucos negariam abertamente os fatos históricos do nascimento e da morte de Jesus.

A parte 3, no entanto, é a pedra de tropeço. Estávamos sentados num auditório requintado de pedra e de carvalho no final do século XX, numa cultura materialista a anos-luz de distância das imagens de cordeiros sacrificados. Mas Handel entendia que a história e a civilização não são o que aparentam. Auditórios, culturas, civilizações surgem e caem. A história tem provado repetidamente que nada feito pela mão da humanidade perdura. Necessitamos de algo maior que a história, algo além da história. Necessitamos de um Cordeiro sacrificado antes da fundação do mundo.

Confesso que crer num mundo invisível, num mundo além deste, não é algo fácil para mim. Como muitas pessoas da modernidade, muitas vezes me questiono se a vida não se resume ao mundo material à nossa volta, se a vida não acaba na morte, se a história não acaba com o aniquilamento ou com a exaustão solar. Mas naquela noite eu não tive tais dúvidas.

O cansaço da viagem tinha produzido em mim algo semelhante a um estado em que me sentia fora do meu corpo, e naquele momento a grande tapeçaria tecida pela música de Handel me parecia muito mais real do que o meu dia-a-dia. Senti que tinha tido um vislumbre da amplidão da história cósmica. Tudo estava centrado no Messias, que veio numa missão de resgate, que morreu nessa missão e, por meio daquela morte, operou a salvação do mundo.

Saí de lá com a convicção renovada de que ele — e nós — reinaremos para sempre e sempre. Naquele dia, as indagações que tanto atormentaram os autores do Antigo Testamento e ainda atormentam muitos de nós hoje, serão apenas lembranças distantes, talvez do mesmo tipo que as perguntas de uma criança.

SOBRE O AUTOR

Philip Yancey se formou em Comunicação Social e Inglês na Wheaton College Graduate School e na Universidade de Chicago. Mais de seiscentos de seus artigos foram publicados em oitenta periódicos diferentes, entre eles *Seleções, Publisher's Weekly, National Wildlife, Saturday Evening Post, Christian Century* e *The Reformed Journal*. Ele escreve artigos e uma coluna mensal para a revista *Christianity Today*, além de compor seu conselho editorial. É também vice-presidente do conselho editorial de *Books and Culture*, publicação recente da *Christianity Today, Inc.*

Entre seus muitos livros estão *Deus sabe que sofremos, The student Bible, Decepcionado com Deus, O Jesus que eu nunca conheci, Maravilhosa graça, Discovering God* [*Descobrindo Deus*], *I was just wondering* [*Eu estava só pensando*] e *Igreja: por que se importar?* Seus livros receberam sete Gold Medallion Awards da Associação de Editores Cristãos Evangélicos (Evangelical Christian Publishers Association) e venderam mais de cinco milhões de exemplares. Escreveu também três livros juntamente com o médico e missionário pioneiro dr. Paul Brand: *As maravilhas do corpo, In his image* [*À sua imagem*] e *The gift of pain* [*A dádiva da dor*]. Gerentes de livrarias evangélicas americanas escolheram *O Jesus que eu nunca conheci* como o Livro do Ano em 1996. *Maravilhosa graça* foi escolhido Livro do Ano em 1998. Ambos os livros foram publicados em português pela Editora Vida.

Tiragem ▪ 5 mil exemplares
2ª reimpressão ▪ fevereiro de 2001

Formato ▪ 16 x 23 cm
Mancha ▪ 12 x 18 cm
Tipo e corpo/entrelinha ▪ Garamond 12/14 (texto),
11/13 (citações), 10/12 (cabeçalho ímpar);
Baker Signet 12/14 (textos em destaque),
18/20 (seções), 16/18 (títulos), 14/16 (subtítulos),
10/12 (cabeçalho par)
Papel ▪ Pólen Soft 0,80 g/m2 (miolo),
Cartão Supremo 250 g/m2
(capa com alto-relevo e *hot stamping*)
Matriz ▪ CD

Impressão ▪ Geográfica Editora

Fim da execução ▪ novembro de 2000